周作人著作

夜读抄

锺叔河——编订

岳麓書社·长沙

北新本《夜读抄》

编者的话

钟叔河

一九八七年一月七日《光明日报》上，岳麓书社刊出了我拟稿的一帧广告（左图），宣布了书社和我对重印周作人著作的观点：

“人归人，文归文。周作人其人的是非功过是另一问题，其书的主要内容是对传统文化和国民性进行反思，对中国—西方和中国—日本的文化历史进行比较研究，今之读者却不可不读。……”

随即便开始出书。既出周作人著作的单行本，也出精装合订本。两年之间，出了二十四种。

书当然不是想出便能出的，得按规矩，走程序。周家授权了，报告批复了，宋木文、杨牧之、伍杰各位领导都当面或来信表示应允和支持了，便能够出了。

出就得出好。当时强调了两条：（一）因为均系据旧本重印，所以一定要认真校订，尽力改正旧本误植失校的错误；（二）因为手稿不存，无法对勘，所以一定要详出校记，改动处一概保留原文，承担责任。

这两条，读者看来大都是认可的。直到如今，在旧书网上，八十年代“岳麓版”的周作人著作，始终都卖得不错。

现在，岳麓书社决定又来重版周作人著作，仍然要我负责编订，做法则一仍其旧。还是这些书，还是这两条，新的广告也就不必再做了。

鄢琨君三十年前和我同编了这些书，此次仍然合作，所有案头工作都是他做，各书重版说明也多是他写的。校记原列表在书末，如今改作尾注。鄢君新增校改之处，标出“鄢校”，特此说明，并志感谢。

二〇一八年五月十五日于长沙。

重版说明

《夜读抄》，一九三四年九月北新书局初版，有小引、后记，收文三十七篇，绝大部分都以书为题（从《〈黄蔷薇〉》到《〈百廿虫吟〉》），借前人文字进行褒贬。后来作者在给鲍耀明信中云：“‘文抄公’的非难自古已然，最所敝帚自珍之《夜读抄》亦是如此，文中十分七八是抄来的，惟‘抄’亦煞费工夫，亦需要一点手段耳。”

“夜读抄”原为一九二八年周作人给《北新》杂志写系列文章的专栏名目，但只刊出《〈夜读抄〉小引》及《〈黄蔷薇〉附言》（二月十六日刊《北新》二卷九号）、《读〈游仙窟〉》（四月一日刊《北新》二卷十号），便告终止。

本集复以“夜读抄”为书名，并以原

《〈夜读抄〉小引》为小引，收的却差不多全都是新作，《北新》刊出的《〈黄蔷薇〉附言》和《读〈游仙窟〉》二篇却并未收入，前者代之以一九二八年另写的《〈黄蔷薇〉》，后者则先已收入一九三二年出版的《看云集》中。

本社一九八八年九月据北新本校订印行，此次仍据该本加校重版。

目　录

小引

幼时读古文，见《秋声赋》第一句云，“欧阳子方夜读书”，辄涉幻想，仿佛觉得有此一境，瓦屋纸窗，灯檠茗碗，室外有竹有棕榈，后来虽见“红袖添香夜读书”之句，觉得也有趣味，却总不能改变我当初的空想。先父在日，住故乡老屋中，隔窗望邻家竹园，常为言其志愿，欲得一小楼，清闲幽寂，可以读书，但先父侘傺不得意，如卜者所云，“性高于天命薄如纸”，才过本寿，遽以痼疾卒，病室乃更湫隘，窗外天井才及三尺，所云理想的书室仅留其影像于我的胸中而已。我自十一岁初读《中庸》，前后七八年，学书不成，几乎不能写一篇满意的文章，庚子之次年遂往南京充当水兵，官费读书，关饷以作零用，而此五年教练终亦无甚用处，现在所记得者只是怎样开枪和爬桅竿等事。以后奉江南督练公所令派往日本改习建筑，则学“造房子”又终于未成，乃去读古希腊文拟改译《新约》，虽然至今改译也不曾实行，——这个却不能算是我的不好，因为后来觉得那官话译本已经适用，用不着再去改译为古奥的文章了。这样我终于没有一种专门的学问与职业，二十年来只是打杂度日，如先父所说的那样书室我也还未能造成，只存在我的昼梦夜梦之间，使我对于夜读也时常发生一种爱好与憧憬。我时时自己发生疑问，像我这样的可以够得上说是读书人么？这恐怕有点难说罢。从狭义上说，读书人应当就是学者，那我当然不是。若从广义上说来，凡是拿着一本书在读，与那些不读的比较，也就是读书人了，那么，或者我也可以说有时候是在读书。夜读呢，那实在是不，因为据我的成见夜读须得与书室相连的，我们这种穷忙的人哪里有此福分，不过还是随时偷闲看一点罢了。看了如还有工夫，便随手写下一点来，也并无什么别的意思，只是不愿意使自己的感想轻易就消散，想叫他多少留下一点痕迹，所以写下几句。因为觉得夜读有趣味，所以就题作《夜读抄》，其实并不夜读已如上述，而今还说诳称之曰夜读者，此无他，亦只是表示我对于夜读之爱好与憧憬而已。

民国十七年一月三日于北京。

《黄蔷薇》

《黄蔷薇》（原文 *A Sarga Rózsa*，英译 *The Yellow Rose*），匈加利育珂摩耳（Jókai Mór）著，我的文言译小说的最后一种，于去年冬天在上海出版了。这是一九一〇年所译，一九二〇年托蔡孑民先生介绍卖给商务印书馆，在八月的日记上有这几项记事：

九日，校阅旧译《黄蔷薇》。

十日，上午往大学，寄蔡先生函，又稿一本。

十六日，晚得蔡先生函附译稿。

十七日，上午寄商务译稿一册。

十月一日，商务分馆送来《黄蔷薇》稿值六十元。

育珂摩耳——欧洲普通称他作 Dr. Maurus Jókai，因为他们看不惯匈加利人的先姓后名，但在我们似乎还是照他本来的叫法为是，——十九世纪的传奇小说大家，著书有二百馀部，由我转译成中文的此外有一部《匈奴奇士录》，原名《神是一位》（*Egy az Isten*），英译改为 *Mids the Wild Carpathians*，——《黄蔷薇》的英译者为丹福特女士（Beatrice Danford），这书的英译者是倍[①]因先生（R. Nisbet Bain）。《匈奴奇士录》上有我的戊申五月的序，大约在一九〇九年出版，是《说部丛书》里的一册。

这些旧译实在已经不值重提，现在所令我不能忘记者却是那位倍因先生，我的对于弱小奇怪的民族文学的兴味差不多全是因了他的译书而唤起的。我不知道他是什么人，但见坎勃列治大学出版的近代史中有一册北欧是倍因所著的，可见他是这方面的一个学者，在不列颠博物馆办事，据他的《哥萨克童话集》自序仿佛是个言语学者。这些事都没有什么关系，重要的乃是他的译书。他懂得的语言真多！北欧的三国不必说了，我有一本他所译的《安徒生童话》，他又著有《安徒生传》一巨册，据戈斯（Edmund Gosse）说是英文里唯一可凭的评传，可惜十六年前我去购求时已经绝版，得不到了。俄国的东西他有《托尔斯泰集》两册，《高尔基集》一册，《俄国童话》一册是译柏烈伟（Polevoi）的，《哥萨克童话》一册系选译古理须（Kulish）等三种辑本而成，还有一册《土耳其童话》，则转译古诺思博士（Ignacz Kunos）

的匈加利语译本，又从伊思比勒斯古（Ispirescu）辑本选译罗马尼亚童话六篇，附在后面。芬兰哀禾（Juhani Aho）的小说有四篇经他译出，收在 T. Fisher Unwin 书店的假名丛书中，名曰《海耳曼老爷及其他》，卷头有一篇论文叙述芬兰小说发达概略，这很使我向往于乞丐诗人沛维林多（Päivärinta），可是英译本至今未见，虽然在德国的 *Reclam* 丛刊中早就有他小说的全译了。此外倍因翻译最多的书便是育珂摩耳的小说，——倍因在论哀禾的时候很不满意于自然主义的文学，其爱好“匈加利的司各得”之小说正是当然的，虽然这种反左拉热多是出于绅士的偏见，于文学批评上未免不适宜，但给我们介绍许多异书，引起我们的好奇心，这个功劳却也很大。在我个人，这是由于倍因，使我知道文艺上有匈加利，正如由于勃兰特思（Brandes）而知道有波兰。倍因所译育珂的小说都由伦敦书店 Jarrold and Sons 出版，这家书店似乎很热心于刊行这种异书，而且装订十分讲究，我有倍因译的《育珂短篇集》，又长篇《白蔷薇》（原文 *A Fehér Rozsa*，英译改称 *Halil the Pedlar*），及波兰洛什微支女士（Marya Rod-ziewicz）的小说各一册，都是六先令本，但极为精美，在小说类中殊为少见。匈加利密克扎特（Kálman Mikzsáth）小说《圣彼得的雨伞》译本，有倍因的序，波思尼亚穆拉淑微支女士（Milena

Mrazovic）小说集《问讯》，亦是这书店的出版，此外又刊有奥匈人赖希博士（Emil Reich）的《匈加利文学史论》，这在戈斯所编《万国文学史丛书》中理特耳（F. Riedl）教授之译本未出以前，恐怕要算讲匈加利文学的英文书中唯一善本了。好几年前听说这位倍因先生已经死了，Jarrold and Sons 的书店不知道还开着没有，——即使开着，恐怕也不再出那样奇怪而精美可喜的书了罢？但是我总不能忘记他们。倘若教我识字的是我的先生，教我知道读书的也应该是，无论见不见过面，那么 R. Nisbet Bain 就不得不算一位，因为他教我爱好弱小民族的不见经传的作品，使我在文艺里找出一点滋味来，得到一块安息的地方，——倘若不如此，此刻我或者是在什么地方做军法官之流也说不定罢？

【锺校】

①“倍”原作“培”，下同。

《远野物语》

《远野物语》，日本柳田国男著，明治四十三年（一九一〇）出版，共刊行三百五十部，我所有的系二九一号。其自序云：

此中所记悉从远野乡人佐佐木镜石君听来，明治四十二年二月以来，晚间常来过访，说诸故事，因笔记之。镜石君虽非健谈者，乃诚实人也，余亦不加减一句一字，但直书所感而已。窃思远野乡中此类故事当犹有数百件存在，我辈切望能多多听到。国内山村有比远野更幽深者，当又有无数的山神山人之传说，愿有人传述之，使平地的人闻而战栗。如此书者，盖陈胜吴广耳。

去年八月之末余游于远野乡。从花卷行十馀里（案日本一里约当中国六七里），凡有官站三，其他唯青山与原野，人烟稀少甚于北海道石狩之平野，或以新开路故，人民之来就者少乎？远野市中则烟花之巷也。余借马于驿亭主人，独巡郊外各村，其马以黑色海草为荐披身上，虻多故也。猿石之溪谷土甚肥，已开拓完善。路旁多石塔，诸国不知其比。自高处展望，早稻正熟，晚稻花盛开，水悉落而归于川。稻之色因种类而各异，有田或三或四或五相连续，稻色相同者，即属于一家之田，盖所谓名所相同也。小于坐落地名之土名，非田主不之知，唯常见于古旧的卖买让与的田契上。越附马牛之谷，早地峰之山隐约可见，山形如草笠，又似字母之ヘ字。此谷中稻熟较迟，满目一色青绿。在田间细道上行，有不知名之鸟，率其雏横过，雏色黑中杂白羽，初以为是小鸡，后隐沟草中不复见，乃知是野鸟。天神之山有祭赛，有狮子舞。于兹鞠尘轻扬，有红物飘翻，与一村之绿相映。狮子舞者，鹿之舞也，戴面具上着鹿角，童子五六人，拔剑与之共舞，笛音高而歌声低，虽在侧亦难闻其词。日斜风吹，醉而呼人者之声亦复萧寂，虽女笑儿奔，而旅愁犹复无可奈何。盂兰盆节，有新佛之家率高揭红白之旗以招魂，山头马上东西指点，此旗凡有十许。村人将去其永住之地者，旅人暂来寄宿者，及彼悠悠之灵山，黄昏徐来，悉包容尽之。在远野有观音堂八所，以一木所作也。此日多报赛之徒，冈上见灯火，闻撞钟之音。隔路草丛中有雨风祭之稻草人，恰如倦人之仰卧焉。此为余游远野所得之印象也。

窃惟此类书物至少总非现代之流行，无论印刷如何容易，刊行此书，以自己的狭隘的趣味强迫他人，恐或有人将评为胡乱行为。敢答之曰，闻如此故事，见如此土地来后，而不想转语他人者，果有其人乎？如此沉默而且谨慎的人，至少在我友人中不曾有也。如九百年前之先辈如《今昔物语》者在当时已为古昔之谈，此则与之相反，乃是目前之事情也。即使敬虔之意与诚实之态度或未能声言逾越先哲，唯不曾多经人耳，亦少借他人之口与笔，彼淡泊天真之大纳言君却反值得来听耳。（案平安朝末大纳言源隆国搜集古今传说，成书三十一卷，名《今昔物语集》，行于世。）至于近世御伽百物语之徒，其志既陋，且不能确信其言之非妄，窃耻与之比邻。要之此书系现在之事实，余相信即此已足为其正大的存在理由矣。唯镜石君年仅二十四五，余亦只忝长十岁已耳，生于事业尽多之今世，乃不辨问题之大小，用力失其当，将有如是言者则若之何？如明神山之角鸱，太尖竖其耳，太圆瞪其目，将有如是责者则又若之何？吁，无可奈何矣，此责任则唯余应负之也。（案下一首系短歌，今译其大意。）

“老人家似的，不飞亦不鸣的，远方的树林中的猫头鹰，或者要笑罢！”

《远野物语》一卷，计一百十九则，凡地势时令，风俗信仰，花木鸟兽，悉有记述，关于家神，山人，狼狐猿猴之怪等事为尤详，在出版当时洵为独一无二之作，即在以后，可与竞爽者亦殊不多，盖昔时笔记以传奇志怪为目的者，大抵有姑妄言之的毛病，缺少学术价值，现代的著述中这一点可以无虞，而能兼有文章之美如柳田氏的却又不能多见。今摘译其第四十九节以下四则：

仙人岭上山十五里，下山十五里。（原注，此系小里，案即等于中国里数。）其间有堂祀仙人，古来习惯，旅客在此山中遇怪异事，辄题记此堂壁上。例如曰，余越后人也，某月某日之夜，在山路上遇见少女被发者，顾我而笑，是也。又或记在此处为猿所戏弄，或遇盗三人等事。

×

死助山中有郭公花，即在远野亦视为珍异之

花也。五月中闲古鸟（案即郭公鸟）啼时，妇人小儿入山采之。浸醋中则成紫色，入口中吹之以为戏，如酸浆然。采取此花，为青年人最大之游乐也。

×

山中虽有各种鸟栖止，其声最凄寂者恶朵鸟也。夏夜间啼，从海滨大槌来的赶马脚夫云过岭即遥闻其声在深谷中。传闻昔时长者有一女，与又一长者之子相亲，入山游玩而男子忽失踪，探求至暮夜卒不能得，遂化为此鸟。鸣曰恶东恶东者，即云恶朵（案意云夫）也。鸣声末尾微弱，甚为凄惋。

×

赶马鸟似杜鹃而稍大，羽毛赤而带茶色，肩有条纹如马缰，胸前有斑，似马口网袋。人云此鸟本系某长者家仆人，入山放马，将归家忽失一马，终夜求之不见，遂化为鸟，啼曰阿呵阿呵者，此乡呼野中群马之声也。有时此鸟来村中啼，为饥馑之先兆，平时住深山中，常闻其啼声。

又第一〇九节记雨风祭云：

中元前后有雨风祭，以稻草为人形，大于常

人，送至歧路，使立道旁。用纸画面目，以瓜作为阴阳之形附之。虫祭之稻草人无此等事，其形亦较小。雨风祭之时，先在一部落择定头家，乡人聚而饮酒，随以笛鼓同送之至于路歧。笛之中有桐木所制之法螺，高声吹之。其时有歌曰：祭祀二百十日的风雨呵，向那方祭，向北方祭呀。（案立春后第二百十日为二百十日节，常有风暴，正值稻开花，农家甚以为苦，故祭以禳之。）

《远野物语》给我的印象很深，除文章外，他又指示我民俗学里的丰富的趣味。那时日本虽然大学里有了坪井正五郎的人类学讲座，民间有高木敏雄的神话学研究，但民俗学方面还很销沉，这实在是柳田氏，使这种学问发达起来，虽然不知怎地他不称民俗学而始终称为“乡土研究”。一九一〇年五月柳田氏刊行《石神问答》，系三十四封往复的信，讨论乡村里所奉祀的神道的，六月刊行《远野物语》，这两本书虽说只是民俗学界的陈胜吴广，实际却是奠定了这种学术的基础，因为他不只是文献上的排比推测，乃是从实际的民间生活下手，有一种清新的活力，自然能够鼓舞人的兴趣起来。一九一三年三月柳田氏与高木敏雄共任编辑，发行《乡土研究》月刊，这个运动于是正式开始。其时有石桥卧波联络许多名流学者，组织民俗学会，发行季刊，可是内容似乎不大充实，石桥所著有关于历，镜，厄年，梦，鬼等书，我也都买得，不过终觉得不很得要领，或者这是偏重文献之故也说不定罢。高木一面也参加民俗学会，后来又仿佛有什么意见似地不大管事，所以《乡土研究》差不多可以说是柳田一人的工作，但是这种事业大约也难以久持，据说读者始终只有六百馀名，到了出满四卷，遂于一九一七年春间宣告停刊了。不过月刊虽停，乡土研究社还是存在，仍旧刊行关于这方面的著述，以至今日，据我所知道计有《乡土研究社丛书》五种，《炉边丛书》约四十种。

柳田氏系法学士，东京大学法科出身，所著有关于农政及铜之用途等书，唯其后专心于乡土研究，此类书籍为我所有者有下列十种：

《石神问答》（一九一〇年）

《远野物语》（同）

《山岛民谭集》一（甲寅丛书，一九一四），内计《河童牵马》及《马蹄石》二项，印行五百部，现已绝版，第二集未刊。

《乡土志论》（炉边丛书，一九二二）

《祭礼与世间》（同）

《海南小记》（一九二五），记琉球各岛事。

《山中之人生》（乡土研究社丛书，一九二六），记述山人之传说与事实，拟议山中原有此种住民，以待调查证明。

《雪国之春》（一九二八），记日本东北之游。

《民谣之今昔》（民俗艺术丛书，一九二九）

《蜗牛考》（语言志丛刊，一九二九）

柳田氏治学朴质无华，而文笔精美，令人喜读，同辈中有早川孝太郎差可相拟。早川氏著有《三州横山话》（炉边丛书）《野猪与鹿与狸》（乡土研究社丛书），也都写得很好，因为著者系画家，故观察与描写都甚细密也。

［附记］以上所说只是我个人的印象，在民俗学的价值上文章别无关系，那是当然的事。英国哈同教授（A. C. Haddon）在《人类学史》末章说：

> 人类的体质方面的研究早由熟练的科学家着手，而文化方面的人类历史乃大都由文人从事考查，他们从各种不同方向研究此问题，又因缺少实验经历，或由于天性信赖文献的证据，故对于其所用的典据常不能选择精密。

这种情形在西洋尚难免，日本可无论了，大抵科学家看不起这类工作，而注意及此的又多是缺少科学训练的文科方面的人，实在也是无可如何。但在日本新兴的乡土研究上，柳田氏的开荒辟地的功的确不小，即此也就足使我们佩服的了。

（二十年十一月十七日）

《习俗与神话》

一九〇七年即清光绪丁未在日本，始翻译英国哈葛德安度阑二人合著小说，原名《世界欲》（*The World's Desire*），改题曰《红星佚史》，在上海出版。那时哈葛德的神怪冒险各小说经侯官林氏译出，风行一世，我的选择也就逃不出这个范围，但是特别选取这册《世界欲》的原因却又别有所在，这就是那合著者安度阑其人。安度阑即安特路朗（Andrew Lang，1844—1912），是人类学派的神话学家的祖师。他的著作很多，那时我所有的是《银文库》本的一册《习俗与神话》（*Custom and Myth*）和两册《神话仪式与宗教》（*Myth Ritual and Religion*），还有一小册得阿克利多斯牧歌译本。《世界欲》是一部半埃及半希腊的神怪小说，神怪固然是哈葛德的拿手好戏，其神话及古典文学一方面有了朗氏做顾问，当然很可凭信，因此便决定了我的选择了。"哈氏丛书"以后我渐渐地疏远了，朗氏的著作却还是放在座右，虽然并不是全属于神话的。

十九世纪中间缪勒博士（Max Müller）以言语之病解释神话，一时言语学派的势力甚大，但是里边不无谬误，后经人类学派的指摘随即坍台，人类学派代之而兴，而当初在英国发难者即是朗氏。据路易斯宾思（Lewis Spence）的《神话概论》引朗氏自己的话说，读了缪勒的书发生好些疑惑：

> 重要的理由是，缪勒用了亚利安族的言语，大抵是希腊拉丁斯拉夫与梵文的语源说，来解释希腊神话，可是我却在红印第安人，卡非耳人，爱思吉摩人，萨摩耶特人，卡米拉罗人，玛阿里和卡洛克人中间，都找到与希腊的非常近似的神话。现在假如亚利安神话起源由于亚利安族言语之病，那么这是很奇怪的，为甚在非亚利安族言语通行的地方会有这些如此相像的神话呢。难道是有一种言语上的疹子，同样地传染了一切言语自梵文以至却克多语，到处在宗教与神话上留下同样的难看的疤痕的么？

在语言系统不同的民族里都有类似的神话传说，说这神话的起源都由于言语的传讹，这在事实上是不会有的。不过如言语学派的方法既不能解释神话里的那荒唐不合理的事件，那么怎样才能把他解释过来呢？朗氏在《习俗与神话》的第一篇《论民俗学的方法》中云：

> 对于这些奇异的风俗，民俗学的方法是怎样的呢？这方法是，如在一国见有显是荒唐怪异的习俗，要去找到别一国，在那里也有类似的习俗，但是在那里不特并不荒唐怪异，却与那人民的礼仪思想相合。希腊人在密宗仪式里两手拿了不毒的蛇跳舞，看去完全不可解。但红印第安人做同样的事，用了真的响尾蛇试验勇气，我们懂得红人的动机，而且可以猜想在希腊人的祖先或者也有相类的动机存在。所以我们的方法是以开化民族的似乎无意义的习俗或礼仪去与未开化民族中间所有类似的而仍留存着原来意义的习俗或礼仪相比较。这种比较上那未开化的与开化的民族并不限于同系统的，也不必要证明他们曾经有过接触。类似的心理状态发生类似的行为，在种族的同一或思想礼仪的借用以外。

《神话仪式与宗教》第一章中云：

> 我们主要的事是在寻找历史上的表示人智某一种状态的事实，神话中我们视为荒唐的分子在那时看来很是合理。假如我们能够证明如此心理

状态在人间确是广泛的存在，而且曾经存在，那么这种心理状态可以暂被认为那些神话的源泉，凡是现代的心地明白的人所觉得难懂的神话便都从此而出。又如能证明这心理状态为一切文明种族所曾经过，则此神话创作的心理状态之普遍存在一事将可以说明此类故事的普遍分布的一部分理由。

关于分布说诸家尚有意见，似乎朗氏所说有太泛处，唯神话创作的心理状态作为许多难懂的荒唐故事解释的枢机大致妥当，至今学者多承其说，所见英人讲童话的书亦均如此。同书第三章论野蛮人的心理状态，列举其特色有五，即一万物同等，均有生命与知识，二信法术，三信鬼魂，四好奇，五轻信，并说明如下：

我们第一见到的是那一种渺茫混杂的心境，觉得一切东西，凡有生或无生，凡人，兽，植物或无机物，似乎都有同样的生命情感以及理知。至少在所谓神话创作时期，野蛮人对于自己和世间万物的中间并不划出强固的界线。他老实承认自己与一切动物植物及天体有亲属关系，就是石头岩石也有性别与生殖力，日月星辰与风均有人类的感情和言语，不仅鸟兽鱼类为然。

其次可注意的是他们的相信法术与符咒。这世界与其中万物仿佛都是有感觉有知识的，所以听从部落中某一种人的命令，如酋长，术士，巫师，或随你说是谁。在他们命令之下，岩石分开，河水干涸，禽兽给他们当奴仆，和他们谈话。术士能致病或医病，还能命令天气，随意下雨或打雷。希腊人所说驱云的宙斯或亚坡罗的形容词殆无不可以加于部落术士之上。因为世间万物与人性质相通之故，正如宙斯或因陀罗一样术士能够随意变化任何兽形，或将他的邻人或仇人变成兽身。

野蛮人信仰之别一特相与上述甚有关系。野蛮人非常相信死人鬼魂之长久的存在。这些鬼魂保存许多他们的旧性，但是他们在死后常比生存在世时性情更为凶恶。他们常听术士的号召，用他们的忠告和法力去帮助他。又如上文所说因为人与兽的密切的关系，死人的鬼魂时常转居于动物身内，或转变为某种生物，各部落自认为与有亲属的或友谊的关系者是也。如普通神话信仰的矛盾的常态，有时讲起鬼魂似住在另一鬼世界里，有时是花的乐园，有时又是幽暗的地方，生人偶然可到，但假如尝了鬼的食物那便再不能逃出来了。

与精灵相关的另有一种野蛮哲理流行甚广。一切东西相信都有鬼魂，无论是有生或无生物，又凡一个人的精神或气力常被视为另一物件，可以寄托在别的东西里，或存在自身的某一地方。人的气力或精神可以住在肾脏脂肪内，在心脏内，在一缕头发内，而且又还可以收藏在别的器具内。时常有人能够使他的灵魂离开身体，放出去游行给他去办事，有时化作一鸟或别的兽形。

好些别的信仰尚可列举，例如普通对于友谊的或保护的兽之信仰，又相信我们所谓自然的死大抵都是非自然的，凡死大抵都是敌对的鬼神或术士之所为。从这意见里便发生那种神话，说人类本来是不会死的，因为一种错误或是过失，死遂被引入人间来了。

野蛮人心理状态还有一特相应当说明。与文明人相像，野蛮人是好奇的。科学精神的最初的微弱激动已经在他脑里发作，他对于他所见的世界急于想找到一种解说。但是，他的好奇心有时并不强于他的轻信。他的智力急于发问，正与儿童的脾气相同，可是他的智力又颇懒惰，碰到一个回答便即满足了。他从旧传里得到问题的答案，或者有一新问题起来的时候，他自己造一个故事来作回答。正如梭格拉底在柏拉图问答篇内理论讲不通时便想起或造出一篇神话来，野蛮人对于他自己所想到的各问题也都有一篇故事当作答案。这些故事所以可以说是科学的，因为想去解决许多宇宙之谜。这又可以说是宗教的，因为这里大抵有一超自然的力，有如戏台上的神道，出来解决问题的纠结。这种故事所以是野蛮人的科学，一方面又是宗教的传说。

朗氏解释神话的根据和方法大概如是，虽然后来各家有更精密或稍殊异的说法，因为最早读朗氏之说，印象最深，故述其略，其他便不多说了。朗氏主要的地位在于人类学及考古学，但一方面也是文人。华扣(Hugh Walker) 在所著《英国论文及论文家》第十二章中有一节说得很好，今全抄于后：

安特路朗是这样一个人，他似乎是具备着做一个大论文家所需要的一切材力的。他的知识愈广，论文家也就愈有话说，而朗氏在知识广博上是少有人能够超越过他的了。他是古典学者，他关于历史及文学很是博览，他擅长人类学，他能研究讨论鬼与巫术。他又是猎人，熟悉野外的生活不亚于书房里的生活。在他多方面的智力活动的范围内，超越他过的或者有几个人，却也只有几个人。两三个人读书或更广博，两三个人或者更深的钻到苏格阑历史的小径里去。但是那些有时候纠正他的专门家却多不大能够利用他们优长的知识。而且即使他们的知识在某一点占了优势，但在全体上大抵总很显得不及。朗氏有他们所最缺乏的一件本事，即是流利优雅的文体。他显示出这优胜来无过于最近所著的一本书即《英国文学史》。要把这国文学的故事紧缩起来收在一册不大的书里，而且又写得这样好，每页都漂亮可读，这实在是大胜利。这册书又表明朗氏有幽默的天才，在论文家这是非常重要的。这里到处都可看出，他并不反对，还简直有点喜欢，发表他个人的秘密。读他的书的人不久便即明了，他是爱司各得的，还爱司各得的国，这也就是他的故国，他又对于鬼怪出现的事是很有兴趣的。总而言之，朗氏似乎满具了论文家应有的才能了。但是我们却得承认，当作一个论文家来说他是有点缺恨的。题材虽然很多变化，风格很是愉快，可是其间总缺少一点什么东西，不能完全成功。无论我们拿起那一本书来，或《小论文》，或《垂钓漫录》，或《失了的领袖》，或《与故文人书》，读后留下的印象是很愉快的，但是并不深。这些不是永久生存的文学，在各该方面差不多都有超过他的，虽然作者的才能或反不及朗氏。这一部分的理由的确是因为他做的事情太多。他的心老是忙着别的事情，论文只是他的副产物。这些多是刊物性的，不大是文学性的。恐怕就是兰姆的文章也会得如此，假如他一生继续的在那里弄别的大工作。

英国批评家戈斯在论文集《影画》（*Edmund Gosse Silhouettes*）中论朗氏的诗的一篇文章上也说："他有百十种的兴趣，这都轮流的来感发他的诗兴，却并没有一种永久占据他的心思，把别种排除掉，他们各个乃是不断的重复出现。"这所说的与上文意思大旨相同，可知华扣的褒贬是颇中肯的。当作纯粹文人论，他的不精一的缺点诚然是有，不过在我个人的私见上这在一方面也未始不是好处，因为那有多方面的知识的文章别有一种风趣，也非纯粹文人所能作；还有所谓钻到学术的小径里去的笔录，离开纯文艺自然更远一步了，我却也觉得很是喜欢的。朗氏著作中有一卷《历史上的怪事件》（*Historical Mysteries*），一共十六篇，我从前很喜欢看以至于今，这是一种偏好罢，不见得[1]有人赞同，对于日本森鸥外的著作我也如此，他的《山房札记》以及好些医家传也是我所常常翻看的，大约比翻看他的小说的时候还要多一点也未可知。

朗氏的文学成绩我一点都不能介绍，但在《世界欲》的书里共有诗长短约二十首，不知怎么我就认定是他的手笔，虽然并无从证明哈葛德必不能作，现在仍旧依照从前幼稚的推测，抄录一二首于下，以见一斑。这一首在第二篇[②]第五章《厉祠》里，是女神所唱的情歌，翻译用的是古文，因为这是二十六七年前的事了。

婉婉问欢兮，问欢情之向谁，
相思相失兮，惟夫君其有之。
载辞旧欢兮，梦痕溘其都尽，
载离长眠兮，为夫君而终醒。
恶梦袭斯匡床兮，深宵见兹大魅，
曼汝欢以新生兮，兼幽情与古爱。
胡恶梦大魅为兮，惟圣且神，
相思相失兮，忍予死以待君。

又一首见第三篇第七章《阿迭修斯最后之战》中，勒尸多列庚（Laestrygon）蛮族挥巨斧作战歌，此名见于荷马史诗，学者谓即古代北欧人，故歌中云冬无昼云云也。

勒尸多列庚，是我种族名。

吾侪生乡无庐舍，冬来无昼夏无夜。
海边森森有松树，松枝下，好居住。
有时趁风波，还去逐天鹅。
我父希尼号狼人，狼即是我名。
我拿舟，向南泊，满船载琥珀。
行船到处见生客，赢得浪花当财帛。
黄金多，战声好，更有女郎就吾抱。
我语汝，汝莫嗔，会当杀汝堕城人。

[附记][3]民国二十年冬曾写过一篇《习俗与神话》寄给东方杂志社预备登在三月上旬的报上，不久战事起，原稿付之一炬，这两年来虽然屡次想补写，却总捏不起笔来，而且内容也大半忘记，无从追忆了。这回决心重写，差不多是新作一样，因为上述关系仍列为第三。

（二十二年十二月十一日于北平）

【锺校】

①原无“得”字，今增。

②“篇”原作“编”。

③“[附记]”为收入《夜读抄》时所加，所谓“仍列为第三”，指在集中列为第三篇。

《颜氏学记》

读《颜氏学记》觉得很有兴趣，颜习斋的思想固然有许多是好的，想起颜李的地位实在是明末清初的康梁，这更令人发生感慨。习斋讲学反对程朱陆王，主张复古，“古人学习六艺以成其德行”，归结于三物，其思想发动的经过当然也颇复杂，但我想明末的文人误国总是其中的一个重大原因。他在《存学编》中批评宋儒说：

> 当日一出，徒以口舌致党祸；流而后世，全以章句误苍生。上者但学先儒讲著，稍涉文义，即欲承先启后；下者但问朝廷科甲，才能揣摩，皆骛富贵利达。

其结果则北宋之时虽有多数的圣贤，而终于“拱手以二帝畀金，以汴京与豫”；南渡之后又生了多数的圣贤，而复终于“推手以少帝赴海，以玉玺与元矣”。又《年谱》中记习斋语云：

> 文章之祸，中于心则害心，中于身则害身，中于国家则害国家。陈文达曰，本朝自是文墨世界。当日读之，亦不觉其词之惨而意之悲也。

戴子高述《颜李弟子录》中记汤阴明宗室朱敬所说，意尤明白：

> 明亡天下，以士不务实事而囿虚习，其祸则自成祖之定《四书五经大全》始。三百年来仅一阳明能建事功，而攻者至今未已，皆由科举俗学入人之蔽已深故也。

这里的背景显然与清末甲申以至甲午相同，不过那时没有西学，只有走复古的一条路，这原是革新之一法，正如欧洲的文艺复兴所做的。“兵农钱谷水火工虞”，这就是后来提倡声光化电船坚炮利的意思，虽然比较的平淡，又是根据经典，然而也就足以吓倒陋儒，冲破道学时文的乌烟瘴气了。大约在那时候这类的议论颇盛，如傅青主在《书成化弘治文后》一篇文章里也曾这样说：

> 仔细想来，便此技到绝顶要他何用？文事武备暗暗底吃了他没影子亏，要将此事算接孔孟之脉，真恶心杀，真恶心杀。

这个道理似乎连皇帝也明白了，康熙二年上谕八股文章与政事无涉，即行停止，但是科举还并不停，到了八年八股却又恢复，直到清末，与国祚先后同绝。民国以来康梁的主张似乎是实行了，实际却并不如此。戊戌前三十年戴子高赵㧑叔遍索不得的颜李二家著述，现在有好几种版本了，四存学会也早成立了，而且我们现在读了《颜氏学记》也不禁心服，这是什么缘故呢[①]？从一方面说，因为康梁所说太切近自己，所以找了远一点旧一点的来差可依傍，——其因乡土关系而提倡者又当别论。又从别一方面说，则西学新政又已化为道学时文，故颜李之说成为今日的对症服药，令人警醒，如不佞者盖即属于此项的第二种人也。

颜习斋尝说：“为治去四秽，其清明矣乎，时文也，僧也，道也，娼也。”别的且不论，其痛恨时文我觉得总是对的。但在《性理书评》里他又说，“宋儒是圣学之时文也”，则更令我非常佩服。何以道学会是时文呢？他说明道：“盖讲学诸公只好说体面话，非如三代圣贤一身之出处一言之抑扬皆有定见。”傅青主也尝说：“不拘甚事只不要奴，奴了，随他巧妙刁钻，为狗为鼠而已。”这是同一道理的别一说法。朱子批评杨龟山晚年出处，初说做人苟且，后却比之柳下惠，习斋批得极妙：

龟山之就召也，正如燕雀处堂，全不见汴京

亡，徽钦虏，直待梁折栋焚而后知金人之入宋也。朱子之论龟山，正如戏局断狱，亦不管圣贤成法，只是随口臧否，驳倒龟山以伸吾识，可也，救出龟山以全讲学体面，亦可也。

末几句说得真可绝倒，是作文的秘诀，却也是士大夫的真相。习斋拈出时文来包括宋儒——及以后的一切思想文章，正是他的极大见识。至于时文的特色则无定见，说体面话二语足以尽之矣，亦即青主所谓奴是也。今人有言，土八股之外加以洋八股，又加以党八股，此亦可谓知言也。关于现今的八股文章兹且不谈，但请读者注意便知，试听每天所发表的文字谈话，有多少不是无定见，不是讲体面话者乎？学理工的谈教育政治与哲学，学文哲的谈军事，军人谈道德宗教与哲学，皆时文也，而时文并不限于儒生，更不限于文童矣，此殆中国八股时文化之大成也。习斋以时文与僧道娼为四秽，我则以八股雅片缠足阉人为中国四病，厥疾不瘳，国命将亡，四者之中时文相同，此则吾与习斋志同道合处也。

《性理书评》中有一节关于尹和靖祭其师伊川文，习斋所批首数语虽似平常却很有意义，其文曰：

吾读《甲申殉难录》，至“愧无半策匡时难，惟馀一死报君恩”，未尝不泣下也，至览和靖祭伊川“不背其师有之，有益于世则未”二语，又不觉废卷浩叹，为生民怆惶久之。

习斋的意思似乎只在慨感儒生之无用，但其严重地责备偏重气节而轻事功的陋习，我觉得别有意义。生命是大事，人能舍生取义是难能可贵的事，这是无可疑的，所以重气节当然决不能算是不好。不过这里就难免有好些流弊，其最大的是什么事都只以一死塞责，虽误国殃民亦属可恕。一己之性命为重，万民之生死为轻，不能不说是极大的谬误。

那种偏激的气节说虽为儒生所唱道，其实原是封建时代遗物之复活，谓为东方道德中之一特色可，谓为一大害亦可。如现时日本之外则不惜与世界为敌，欲吞噬亚东，内则敢于破坏国法，欲用暴烈手段建立法西斯[②]派政权，岂非悉由于此类右倾思想之作祟欤。内田等人明言，即全国化为焦土亦所不惜，但天下事成败难说，如其失败时将以何赔偿之？恐此辈所准备者亦一条老命耳。此种东方道德在政治上如占势力，世界便将大受其害，不得安宁，假如世上有黄祸，吾欲以此当之。虽然，这只是说日本，若在中国则又略有别，至今亦何尝有真气节，今所大唱而特唱者只是气节的八股罢了，自己躲在安全地带，唱高调，叫人家牺牲，此与浸在温泉里一面吆喝“冲上前去”亦何以异哉。清初石天基所著《传家宝》中曾记一则笑话云：

> 有父病延医用药，医曰，病已无救，除非有孝心之子割股感格，或可回生。子曰，这个不难。医去，遂抽刀出，是时夏月，逢一人赤身熟睡门屋，因以刀割其股肉一块。睡者惊起喊痛，子摇手曰，莫喊莫喊，割股救父母你难道不晓得是天地间最好的事么？

此话颇妙，习斋也生在那时候，想当同有此感，只是对于天下大约还有指望，所以正经地责备，但是到了后来，这只好当笑话讲讲，再下来自然就不大有人说了。六月中阅《学记》始写此文，到七月底才了，现在再加笔削成此，却已过了国庆日久矣了。

（二十二年十月）

【锺校】

①“呢”原作“昵”。

②原无“斯”字，今增。

《性的心理》

近来买到一本今年新出版的蔼理斯所著《性的心理》，同时不禁联想起德国卐字党的烧书以及中国舆论界同情的批评。手头有五月十四日《京报》副刊上的一则“烧性书”，兹抄录其上半篇于下：

> 最近有一条耐人寻味的新闻，德国的学生将世界著名的侯施斐尔教授之性学院的图书馆中所有收藏的性书和图画尽搬到柏林大学，定于五月十日焚烧，并高歌欢呼，歌的起句是日耳曼之妇女兮今已予以保护兮。
>
> 从这句歌词我们窥见在极右倾的德国法西斯蒂主义领袖希特勒指导下一班大学生焚烧性书的目的，申言日耳曼之妇女今后已予以保护，当然足见在以往这些性书对于德国妇女是蒙受了不利，足见性书在德国民族种下了重大的罪恶。
>
> 最近世界中的两大潮流——共产主义和法西

斯蒂——中，德国似苏联一样与我人一个要解决的谜。步莫索里尼后兴起的怪杰希特勒，他挥着臂，指挥着数千万的褐衫同志，暴风雨似的，谋日耳曼民族的复兴，争拔着德国国家地位增高，最近更对于种族的注意，严定新的优生律和焚烧性书。

下半篇是专说“中国大谈性学”的张竞生博士的，今从略。张竞生博士与 Dr. Magnus Hirschfeld，这两位人物拉在一起，这是多么好玩的事。性书怎样有害于德国妇女，报馆记者与不佞都没有实地调查过，实在也难以确说，不过有一件事我想值得说明的，便是那些褐衫朋友所发的歇私底里的叫喊是大抵不足为凭的。不知怎的，我对于右倾运动不大有同情，特别读了那起头的歌词，觉得青年学生这种无知自大的反动态度尤其可惜，虽然国际的压迫使国民变成风狂原是可能的事，他们的极端国家主义化也很有可以理解的地方。北欧方面的报上传出一件搜书的笑话来，说大学生搜查犹太人著作，有老太婆拿出一本圣书，大家默然不敢接受。这或者是假作的，却能简要的指出这运动的毛病，这还是“十九世纪”的老把戏罢了。在尼采之前法人戈比诺（Arthur de Gobineau）曾有过很激烈的主张，他注重种族，赞美古代日耳曼，排斥犹太文化，虽近偏激却亦言之成理。后来有归化德国的英人张伯伦（H. S. Chamberlain）把这主张借了去加以阉割，赞美日耳曼，即指现代德国，排斥犹太，但是耶稣教除外，这非驴非马的意见做成了那一部著名的《十九世纪之基础》，实即威廉二世的帝国主义的底本。戈比诺的打倒犹太人连耶稣和马丁路得在内，到底是勇敢的彻透的，张伯伦希特勒等所为未免有点卑怯，如勒微（Oscar Levy）博士所说，现代的反犹太运动的动机，乃只是畏惧嫉妒与虚弱而已。对于这样子的运动，我们不能有什么期望，至于想以保护解决妇女问题，而且又以中古教会式的焚书为可以保护妇女，恐只有坚信神与该撒的宗教信徒才能承认，然而德国大学生居然行之不疑，此则大可骇异者也。

德国大烧性书之年而蔼理斯的一册本《性的心理》适出版，我觉得这是很有趣的一件事。八月十三日《独立评论》六十三期上有一篇《政府与娱乐》说得很好，其中有云：

> 因为我们的人生观是违反人生的，所以我们更加作出许多丑事情，虚伪事情，矛盾事情。这类的事各国皆有，拉丁及斯拉夫民族比较最少，盎格鲁撒克逊较多，而孔孟的文化后裔要算最多

了。究竟西洋人因其文化有上古希腊，文艺复兴，及近代科学的成分在内，能有比较康健的人生观。

蔼理斯的《性的心理》第一卷出版于一八九八年，就被英国政府所禁止，后来改由美国书局出版才算没事，至一九二八年共出七卷，为世界性学上一大名著，可是大不列颠博物馆不肯收藏，在有些美国图书馆里也都不肯借给人看，而且原书购买又只限于医生和法官律师等，差不多也就成为一种禁书，至少像是一种什么毒药。这是盎格鲁撒克逊的常态罢，本来也不必大惊小怪的。但是到了今年忽然刊行了一册简本《性的心理》，是纽约一家书店的“现代思想的新方面”丛书的第一册（英国怎么样未详），价金三元，这回售买并无限制，在书名之下还题一行字云学生用本，虽然显然是说医学生，但是这书总可以公开颁布了。把这件小事拿去与焚书大业相比，仿佛如古人所说，落后的上前，上前的落后了，蔼理斯三十年的苦斗总算略略成功，然而希耳施斐尔特的多年努力却终因一棒喝而归于水泡，这似乎都非偶然，都颇有意义，可以给我们做参考。

《性的心理》六卷完成于一九一〇年，第七卷到了一九二八年才出来，仿佛是补遗的性质的东西。第六卷末尾有一篇跋文，最后两节说的很好，可见他思想的一斑：

我很明白有许多人对于我的评论意见不大能够接受，特别是在末卷里所表示的。有些人将以我的意见为太保守，有些人以为太偏激。世人总常有人很热心的想攀住过去，也常有人热心的想攫得他们所想像的未来。但是明智的人站在二者之间，能同情于他们，却知道我们是永远在于过渡时代。在无论何时，现在只是一个交点，为过去与未来相遇之处，我们对于二者都不能有所怨怼。不能有世界而无传统，亦不能有生命而无活动。正如赫拉克来多思在现代哲学的初期所说，我们不能在同一川流中入浴二次，虽然如我们在今日所知，川流仍是不断的回流着。没有一刻无新的晨光在地上，也没有一刻不见日没。最好是闲静的招呼那熹微的晨光，不必忙乱的奔向前去，也不要对于落日忘记感谢那曾为晨光之垂死的光明。

在道德的世界上，我们自己是那光明使者，那宇宙的历程即实现在我们身上。在一个短时间内，如我们愿意，我们可以用了光明去照我们路程的周围的黑暗。正如在古代火把竞走——这在路克勒丢思看来似是一切生活的象征——里一样，我们手持火把，沿着道路奔向前去。不久就要有人从后面来，追上我们。我们所有的技巧便在怎样的将那光明固定的炬火递在他的手内，那时我们自己就隐没到黑暗里去。

这两节话我顶喜欢，觉得是一种很好的人生观，沉静，坚忍，是自然的，科学的态度。二十年后再来写这一册的《性的心理》，蔼理斯已是七十四岁了，他的根据自然的科学的看法还是仍旧，但是参透了人情物理，知识变了智慧，成就一种明净的观照。试举个例罢，——然而这却很不容易，姑且举来，譬如说啌尼林克妥思（Cunnilinctus）。这在中国应该叫作什么，我虽然从猥亵语和书上也查到两三个名字，可是不知道哪个可用，所以结局还只好用这“学名”。对于这个，平常学者多有微词，有的明言自好者所不为，蔼理斯则以为在动物及原始民族中常有之，亦只是亲吻一类，为兴奋之助，不能算是反自然的，但如以此为终极目的，这才成了性欲的变态。普通的感想这总是非美的，蔼理斯却很幽默的添一句道：

大家似乎忘记了一件事，便是最通行的性交方式大抵也难以称为美的（Aesthetic）罢。他们不知道，在两性关系上，那些科学或是美学的冰

> 冷的抽象的看法是全不适合的，假如没有调和以人情。

他自己可以说是完全能够实践这话的了。其次我们再举一个例，这是关于动物爱（Zoocrastia）的。谢在杭的《文海披沙》卷二有一条“人与物交”，他列举史书上的好些故实，末了批一句道：“宇宙之中何所不有。”中国律例上不知向来如何办理，在西洋古时却很重视，往往连人带物一并烧掉了事。现在看起来这原可以不必，但凡事一牵涉宗教或道德的感情在内，这便有点麻烦。蔼理斯慨叹社会和法律的对于兽交的态度就是在今日也颇有缺陷，往往忽略这事实：即犯此案件的如非病的变态者，也是近于低能的愚鲁的人。

> 还有一层应该记住的，除了偶然有涉及虐待动物或他虐狂的情节者以外，兽交并不是一件直接的反社会的行为，那么假如这里不含有残虐的分子，正如瑞士福勒耳教授所说，这可以算是性欲的病的变态中之一件顶无害的事了。

我不再多引用原文或举例，怕的会有人嫌他偏激，虽然实在他所说的原极寻常，平易近理。蔼理斯的意见以为性欲的满足有些无论怎样异常以至可厌恶，都无责难或干涉的必要，除了两种情形以外，一是关系医学，一是关系法律的。这就是说，假如这异常的行为要损害他自己的健康，那么他需要医药或精神治疗的处置。其次假如他要损及对方或第三者的健康或权利，那么法律就应加以干涉。这意见我觉得极有道理，既不保守，也不能算怎么激烈，据我看来还是很中庸的罢。要整个的介绍蔼理斯的思想不是微力所能任的事，英文有戈耳特堡（Lsaac Goldberg）与彼得孙（Houston Peterson）的两部评传可以参考，这里只是因为买到一册本的《性的心理》觉得甚是喜欢，想写几句以介绍于读者罢了。

（二十二年八月十八日，于北平）

《猪鹿狸》

《猪鹿狸》，这是很奇妙的一部书名。这在一九二六年出版，是日本的乡土研究社丛书之一，著者早川孝太郎，学人而兼画家，故其文笔甚精妙。所著书现有《三州横山话》《能美郡民谣集》《羽后飞岛图志》《猪鹿狸》《花祭》二卷，有千六百页，为研究地方宗教仪式之巨著。其中我所顶喜欢的还是这《猪鹿狸》，初出时买了一本，后来在北平店头看见还有一本又把他买了来，原想送给友人，可是至今没有送，这也不是为的吝啬，只是因为怕人家没有这种嗜好，正如吃鸦片烟的人有了好大土却不便送与没有瘾的朋友，——我以鸦片作比，觉得实在这是一种嗜好，自己戒除不掉也就罢了，再去劝人似乎也可以不必。

这是讲动物生活的一册小书，但是属于民俗学方面而不是属于动物学的，他所记的并非动物生态的客观纪录，乃是人与兽，乡村及猎人与兽的关系的故事。我从小时候和草木虫鱼仿佛有点情分，《毛诗草木鸟兽虫鱼疏》《南方草木状》以至《本草》《花镜》都是我的爱读书，有一个时候还曾寝馈于《格致镜原》，不过书本子上的知识总是零碎没有生气，比起从老百姓的口里听来的要差得很远了。在三十多年前家里有一个长工，是海边的农夫而兼做竹工，那时他给我们讲的野兽故事是多么有意思，现在虽然大半记不得了，但是那留下的一点儿却是怎么的生动的存在着。头上有角的角鸡，夜里出来偷咬西瓜的獾猪，想起时便仿佛如见沙地一带的情景，正如山乡的角麂和马熊的故事一样，令我时时怀念这些故乡的地方。早川的这册书差不多就是这种故事的集录，即使没有著者所画的那十几张小图也尽足使我喜欢了。

正如书名所示，这书里所收的是关于猪鹿狸三种兽的故事，是一个七十七岁的老猎人所讲的，不是童话似的动物谈，乃是人与兽接触的经验以及感想，共有五十九篇，其中以关于猪和狸的为最有趣味，鹿这一部分比较稍差。这里所谓猪实在是中国的野猪，普通畜养的猪日本称之曰豚。平常如呼人为豚，人家必要大生其气，但猪却是美名，有人姓猪股，德富苏峰的名字叫做猪一郎，都是现在的实例。寺岛安良编《和汉三才图会》卷三十八猪条下云，如为猎人被伤去时人詈谓汝卑怯者盍还乎，则大忿怒，直还进对合，与人决胜负，故譬之强勇士。（原本汉文。）今日本俗语有猪武者一语，以喻知进而不知退者，中国民间称野猪奔铳，亦即指此种性质也。书中说有一猎人打野猪伤而不死，他赶紧逃走，猪却追赶不放，到了一棵大树下像陀螺似的人和猪团团的转了七个圈，后来不知怎的装好了枪，从后面一枪才结果了猪的性命。自己逃着，说是从后面未免有点可笑，其实是绕着树走得快的时候差不多是人在猪屁股后头追着的样子了。书中又说及猪与鹿的比较，也很有意思。鹿在山上逃走的时候，如一枪打中要害，他就如推倒屏风似的直倒下来，很觉得痛快。可是到了野猪就不能如此，无论打中了什么要害，他决不像鹿那样的跌倒，中弹之后总还要走上两三步，然后徐徐的向前蹲伏下去。听着这话好像是眼见刚勇之士的死似的，觉得这真是名实相符的野猪的态度。我对于著者的话也很表同意，与法国诗人诗里的狼一样这猪实在堪为我们的师范。但是很希奇的是，这位刚勇之士的仪表却并不漂亮。据说曾有一个年青妇人在微暗的清早到山里去收干草，看见前面路上有一只小猪模样的灰色的兽，滴沥滴沥的走着。这时候兽似乎未曾觉得后边有人走来，女人也颇胆大，便跟在后面走，刚走了半里多路，兽就岔路走进草丛里去了。回家后讲起这事，老人们告诉她说那就是野猪哩，她不但不出惊，反出于意外似的道，那样的东西是野猪么？据著者的经验说，从幼小时候就听说猪是可怕的东西，强悍的兽，后来有一回看见被猎人们抬了去的死猪的模样，也感到同样的幻灭云。不过我想这或者并不由于野猪的真是长得不漂亮，实在大半还是因为家猪平常的太不争气的缘故罢。

狸的故事差不多是十之八九属于怪异的。中国近世不听见说有什么狸子作怪，但在古时似乎很是普通，而且还曾出过几个了不得的大胆的，敢于同名人去开玩笑的狸妖，他们的故事流传直到今日。《太平广记》四四二所录狸的怪谈有十一篇，《幽明录》里与董仲舒论五经究其微奥的老狸，《集异记》里与张茂先商略三史，探赜百家，谈老庄之奥区，披风雅之绝旨的千年斑狸，可谓俊杰，此外[①]幻化男妇也很有工夫。日本现今狐狸猫貉四者还都能作怪，民间传说里有《滴沥山》与《文福茶釜》两篇最是有名。狸的恶戏在平时却多是琐屑的，不大有干系人命的大事。《三才图会》里说老狸能变化妖怪与狐同，至其游戏则“或鼓腹自乐，谓之狸腹鼓，或入山家，坐炉边向火乘暖，则阴囊垂延，广大于身也”。《三州横山话》中有一节曰“狸的腹鼓”，其文曰：

据说到山里去作工，狸会来招呼。对面的山上丁丁的砍着树似的，又叫道喊！不注意时答应一声，原来却是狸叫，便只好停了工作回来。（案狸与人呼应不已，如人困惫至不复能应则为狸所食，否则狸自毙云。）

与人声相比那似乎是苦闷的声音，低低的叫道喊！夜间独居的时候，听见狸叫，决不可轻易答应。听过许多故事，说夜里与狸对呼，把挂钩上的开水壶都喝干了，又说用木鱼替代答应，一直敲到天亮。

狸腹鼓原说是月夜为多，但据八名郡七乡村人生田省三的实验谈，则在将要下雨的漆黑的夜里时时听见敲着破鼓似的声音。这本来是在笼里养着的狸，但是这人说一天雨夜在凤来寺山中所听到的腹鼓和这声音也正相同。

狸与貉一看似乎难以分别，在冬天看他的脚就可知道，据说狸的脚底上满是皲裂。

狸的肾囊可以化作八张席子的房间，在《猪鹿狸》中也有些故事，现在不及多抄了。乡土研究社丛书中还有一册笠井新也的《阿波的狸之话》，是专讲一地方的狸的故事的。

【锺校】

①“外”原作“他”。

《蠕范》

偶然在旧书店里买了一部《蠕范》，京山李元著，元系乾隆时人，著有关于声韵的书，为世所知。此书凡八卷，分为物理物匹物生物化等十六章，徐志鼎序云："大块一蠕境也。……顾同一蠕也，区而别之，不一蠕也，类而范之，归于一蠕也。"这可以说是一部生物概说，以十六项目包罗一切鸟兽虫鱼的生活状态，列举类似的事物为纲，注释各个事物为目，古来格物穷理的概要盖已具于是。有人序《百廿虫吟》云，诚以格物之功通于修齐治平，天下莫载之理即莫破所由推，这样说法未免太言重了，而且也很有点儿帖括的嫌疑，但是大旨我实在是同意的。"我不信世上有一部经典，可以千百年来当做人类的教训的，只有纪载生物的生活现象的 biologie 才可供我们参考，定人类行为的标准。"这是民八所写小文《祖先崇拜》里的几句话，至今我却还是这样想。万物之灵的人的生活的基础依旧还是动物的，正如西儒所说过，要想成为健全的人必须先成健全的动物，不幸人们数典忘祖，站直了之后增加了伶俐却损失了健全。鹿和羚羊遇见老虎，跑得快时保住性命，跑不脱便干脆的被吃了，老虎也老实的饱吃一顿而去，决没有什么膺惩以及破邪显正的费话。在交尾期固然要闹上一场，但他们决不借口无后为大而聚麀，更不会衔了一块肉骨头去买母狗的笑，至于鹿活草淫羊藿这种传说自然也并无其事。我们遏塞本性的发露，却耽溺于变态的嗜欲，又依恃智力造出许多玄妙的说明，拿了这样文明人的行为去和禽兽比较，那是多么可惭愧呀。人类变为家畜之后，退化当然是免不掉的，不过夸大狂的人类反以为这是生物的标准生活，实在是太不成话了。要提醒他们的迷梦，最好还是吩咐他们去请教蚂蚁，不，不论任何昆虫鸟兽，均可得到智慧。读一本《昆虫记》，胜过一堆圣经贤传远矣，我之称赞生物学为最有益的青年必读书盖以此也。

《蠕范》是中国十八世纪时的作品，中国博物学向来又原是文人的馀技，除了《诗经》《离骚》《尔雅》《本草》的注疏以外没有什么动植物的学问，所以这部书仍然跳不出这窠臼，一方面虽然可以称之曰生物概说，实在也可以叫做造化奇谈，因为里边满装着变化奇怪的传说和故事。二千多年前亚列士多德著《动物志》，凡经其实验者纪录都很精密，至今学者无异言，所未见者乃以传说为据，有极离奇者。我们著者则专取这些，有的含有哲理，有的富于诗趣，这都很有意思，所缺少的便只是科学的真实。这样说来，《蠕范》的系统还是出于《禽经》，不过更发挥光大罢了。卷六《物知》第十二的起头这一节话便很有趣，其文曰：

> 物知巫，鸂鶒善敕，蜾蠃善咒，水鸠善写，鸛善符，虎善卜，䴕善禁。

差不多太乙真人的那许多把戏都在这里了。关于啄木原注云，好斫木食虫，以舌钩出食之，善为雷公禁法，曲爪画地为印，则穴塞自开，飞即以翼墁之。这所说大抵即根据《埤雅》，《本草纲目》引《博物志》亦如此说，仿佛记得《阅微草堂笔记》里也曾提及，有奴子某还实验过云，可以想见流传的久远了。我们在北平每年看见啄木鸟在庭树上或爬或笑，或丁丁的啄，并不见他画什么符印，而这种俗信还总隐伏在心里。记起小时候看《万宝全书》之类，颇想一试那些小巫术，但是每个药方除普通药材以外总有一味啄木鸟的舌头或是熊油，只好罢休。啄木鸟舌头的好处何在？假如不全是处方者的故意刁难，那么我想这仍是由于他的知巫的缘故罢。

至于蜾蠃的故事，其由来远矣。《诗·小宛》曰，螟蛉有子，蜾蠃负之。前汉时，《淮南子》中有贞虫之称。扬雄《法言》云：螟蛉之子殪而逢果蠃，祝之曰类我类我，久则肖之矣。这可以算是最早的说明。后汉许慎《说文》云：天地之性，细腰纯雄无子。郑玄《毛诗笺》云：蒲卢取桑虫之子，负持而去，煦妪养之，以成其子。吴陆玑[①]《草木鸟兽虫鱼疏》说得更为详明，云取桑虫负之于木空中或书简笔筒中，七日而化为其子，里语曰，咒云象我象我。《酉阳杂俎》广动植有蠮螉一项，虽不注重负子，而描写甚有意趣，文云：成式书斋多此虫，盖好窠于书卷也，或在笔管中，祝声可听，有时开卷视之，悉是小蜘蛛，大如蝇虎，旋以泥隔之，时方知不独负桑虫也。以后注《诗经》《尔雅》者大抵固执负子说，不肯轻易变动，别方面《本草》学者到底有点不同，因为不全是文人，所以较为切实了。晋陶弘景在《本草注》里反对旧说道：

今一种蜂黑色腰甚细，衔泥于人屋及器物边作房如并竹管者是也。其生子如粟米大置中，乃捕取草上青蜘蛛十馀枚满中，仍塞口，以拟其子大为粮也。其一种入芦管中者，亦取草上青虫。

《诗》云，螟蛉有子，蜾蠃负之。言细腰之物无雌，皆取青虫教祝，便变成己子，斯为谬矣。造诗者未审，而夫子何为因其僻耶？岂圣人有缺，多皆类此？

《本草》学者除一二例外大都从陶说，宋车若水《脚气集》中云，“蜾蠃取螟蛉，产子于其身上，借其膏血以为养，蜾蠃大，螟蛉枯，非变化也”，很说得简要，可以当作此派学说的结束。至于蒲卢的麻醉防腐剂注射手术的巧妙，到了法国法布耳出来始完全了解，所以《昆虫记》的几篇又差不多该算作这问题的新添注脚也。

但是陶隐居的说法在文人看去总觉得太杀风景，有些人即使不是为的卫道，也总愿意回到玄妙的路上去。清道光时钱步曾作《百廿虫吟》，是一部很有意思的诗集，其蒲卢一诗后有两段附记，对于《诗疏》与《脚气集》两说加以判断曰：

余曾细察之，蜾蠃好窠于书卷笔管中，其所取物或小青虫或小蜘蛛，先练泥作房，积四五虫，再以泥隔之，满而后止。虫被负者悉如醉如痴，能运动而不能行走，一旦启户而出，残泥零落，遗蜕在焉，似乎气感为确。至扬子云类我类我之说则大谬，盖蒲卢于营巢时以口匀泥，嘤嘤切切然，至负子时则默无声息矣。天地自然之化，不待祝辞也。且蒲卢乌能通人语耶，子云乌能通蒲卢语耶，古人粗疏臆断，一何可笑。

其又记云：

壬午秋试侨寓西湖李氏可庄，其地树木丛杂，虫豸最多。一日余在廊下靧面，瞥见一蒲卢较常所见者稍大，拖一蜮螂贸贸而来，力稍倦，息片时复衔而走，蜮螂亦如中酒的然，逡巡缘柱入孔穴间，乃知蒲卢所负不独蜘蛛青虫也。

钱氏观察颇是细密，所云被负的虫如醉如痴，能运动而不能行走，与李时珍引《解颐新语》云其虫不死不生相同，很能写出麻醉剂的效力，别人多未注意及此，却不知道为什么总喜欢气感之说，一定要叫自青虫以至蜮螂都蜕化为雄蜂，岂不是好奇太过之故乎。同治中汪曰桢著《湖雅》九卷，记湖州物产，文理密察，其记蠮螉乃取陶说，并批判诸说云：

案陶弘景云云，寇宗奭② 李时珍及《尔雅翼》并从陶说，是也。邵晋涵《尔雅正义》力辟陶说，王念孙《广雅疏证》既从陶说，又引苏颂谓如粟之子即祝虫所成，游移两可，皆非也。生子时尚未负虫，安得强指为虫所化乎？

汪氏对于好奇的文人又很加以嘲笑，在“记蚊”这一节下云：

> 道光辛卯，吾友海宁许心如丙鸿与余论近人《山海经图》之诞妄，时适多蚊，因戏仿《山海经》说之云，虫身而长喙，鸟翼而豹脚，且曰，设依此为图，必身如大蛹，有长喙，背上有二鸟翼，腹下有四豹脚，成一非虫非禽非兽之形，谁复知为蚊者。余曰，是也，但所仿犹嫌未备，请续之曰，昼伏夜飞，鸣声如雷，是食人。相与拊掌。笑言如昨，忽已四十馀年，偶然忆及，附识于此，博览者一笑，亦可为著述家好为诞妄之戒也。

我对于《蠕范》一书很有点好感，所以想写一篇小文讲他，但是写下去的时候不知不觉的变成指摘了。这是怎的呢？我当初读了造化奇谈觉得喜欢，同时又希望他可以当作生物概说，这实在是鱼与熊掌，二者不可得兼，也是没法的事。总之《蠕范》我想是还值得读的，虽然如作生物学读那须得另外去找，然而这在中国旧书里恐怕一时也找不出罢。

（二十二年十月）

【锺校】

①"玑"原作"机"。

②"奭"原作"爽"。

《兰学事始》

在十一二年前日本菊池宽发表一篇小说，题名《兰学事始》，叙述杉田玄白与前野良泽苦心译读和兰解剖学书的事，为菊池集中佳作之一。《兰学事始》本来是一部书名，杉田玄白八十三岁时所著，小说里所讲的大抵全以此为根据，明治初年此书虽曾刻木，已不易得，近来收入“岩波文库”中始复行于世，价才金二十钱也。所谓兰学本指和兰传来的医学，但实在等于中国的西学一语，包含西洋的一切新知识在内。十六世纪以来葡西至日本互市传教，日人称之曰南蛮，和兰继之，称曰红毛，及德川幕府实行锁国，严酷的禁止信教，其后只剩下和兰一国继续通商，地点也只限于长崎一处，于是和兰的名号差不多成为西洋的代表了。在长崎出岛地方有一所阿兰陀馆，和兰每年派一位甲必丹来住在那里，仿佛是一种领事，管理交易的事，有官许的几个“通词”居间翻译，在那时候通词便是唯一的西洋语贮藏所，可是这也只能说话，因为文字的学习是犯禁的，有人著了一部《红毛谈》，内里画了字母的形象，便为政府所禁止没收。但是求知识的人总想往这方面求得出路，有些医生由通词间接的去学几个“兰方”，有些学者如青木昆阳跑到长崎去请通词口授，学了五百馀言的和兰话回来。当时社会称此类具眼之士曰豪杰，野上臼川云，元龟天正（一五七〇至九一）的时代持长枪的豪杰横行于天下，享保（一七一六至三五）以后的豪杰则从长崎通词家里秘密的得到 Woordenbook（字典），想凭此以征服不思议的未知世界。青木昆阳即是这豪杰之一，前野良泽乃是昆阳的弟子也。

前野良泽生于一七二三年，世代业医，年四十七始就昆阳学和兰语，次年往长崎，于昆阳所授五百言外又诵习二百馀言，并得字书及《解剖图志》以归。又次年为明和八年（一七七一），三月四日与杉田玄白等至千住骨之原刑场“观脏”，见其一一与图志符合，遂定议起手翻译。杉田亦世医，偶得图志阅之，与汉医旧说大异，及实验后乃大服，提议译述刊行以正缪误，唯不通兰语，推前野为译主，约期集会，时前野年四十九，杉田三十九也。《兰学事始》卷上纪其事曰：

次日集于良泽家，互语前日之事，乃共对*Tafel Anatomia*（案即*Tabulae Anatomicae*）之书，如乘无舵之舟泛于大海，茫洋无可倚托，但觉茫然而已。唯良泽对于此道向曾留意，远赴长崎，略知兰语并章句语脉间事，年长于予者十岁，乃定为盟主，亦即奉为先生。予则即二十五字亦尚未识，今忽然发起此事，乃亦学习文字并诸单语焉。

译述此书应如何下手，先加以讨论，如从内象起则必难了解，此书最初有俯伏全象之图，此为表部外象之事，其名称皆所熟知，取图说记号并合研究差可着手，遂决定从此处下笔，即《解体新书》之形体名目篇是也。其时对于de（英文the）、het（the，又代名词）、als（as）、welk（which）等诸词，虽略有记诵，然不能仔细辨解，故常读之不解所谓。如眉者生于目上之毛也一句，尽春天的长昼终未明了，苦思直至日暮，互相睨视，仅只一二寸的文章终于一行不能解。又一日读至鼻者佛耳黑芬特者也，此语亦不可解，众共讨索此应作何解，实无法可通。其时亦无字典之类，唯良泽从长崎购得一简略小册，共检之，在Verh ffend一语下注云，树枝断处，其处佛耳黑芬特，又扫院落时，尘土聚集而佛耳黑芬特也。此是何义，又苦思强解如前，亦终未明。予思树枝断处接合则稍高，又扫地时尘土积聚亦成堆，鼻在面上正是堆起之物，然则佛耳黑芬特或即堆积之意。予遂言此语译作堆积何如，众人闻言甚以为然，遂决定如此译。此时喜悦之情无可比喻，大有获得连城之璧之概焉。……然语有之，为事在人，成事在天，如此苦心劳思，辛勤从事，每月凡六七会，每会必集，一无倦怠，相聚译读，所谓不昧者心，凡历一年馀，译语渐增，对于彼国事情亦渐自了解，其后如章句疏朗处一日可读十行以上，别无劳苦而能通其意义矣。

福泽谕吉序云：

书中纪事字字皆辛苦，其中关于明和八年三月五日在兰化先生宅，对 *Tafel Anatomia* 之书，如乘无舵之舟泛于大洋，茫洋无可倚托，但觉茫然云云以下一节，我辈读之察先人之苦心，惊其刚勇，感其诚挚，未尝不感极而泣。迂老与故箕作秋坪氏交最深，当时得其抄本，两人对坐，反复读之，至此一节，每感叹呜[①]咽无言而终以为常。

此并非夸诞之词，求知识者的先驱的言行十分有悲壮的意味，《兰学事始》不仅是医学史文献上一小册子，在日本现代文化发展上更有重大意义者也正以此。前野宅的翻译事业经过四年的岁月，杉田笔述，凡前后十一易稿，成《解体新书》四卷，于安永三年（一七七四）出版，实为日本西学译书之始。在十五年前即宝历九年（一七五九）山胁东洋看了刑尸的解剖，作《藏志》一卷，凡剥胸腹图、九藏前面图、九藏背面图、脊骨侧面图共四图，中有云“向者获蛮人所作骨节剐剥之书，当时碌碌不辨，今视之胸脊诸藏皆如其所图，履实者万里同符，敢不叹服”（原汉文），可见也曾参照西洋解剖图，不过因为不懂得文字故所知不深罢了。但是在医学史上也是一件重大的事情，疑古与实证的风气总是自此发动了。（据富士川游著《日本医学史纲要》。）

说到这里我们不能不想起中国医学界的“豪杰”玉田王清任先生来了。山胁的《藏志》出版于清乾隆二十四年，杉田的《解体新书》在乾隆三十六年，王清任的《医林改错》则在道光庚寅（一八三〇），比起来要迟了七十或五十多年了，但是他那精神却仍是值得记念，他那境遇也更值得怜悯。《医林改错》脏腑记叙中云：

自恨著书不明脏腑，岂不是痴人说梦，治病不明脏腑，何异于盲子夜行，虽竭思区画，无如之何。十年之久，念不少忘。至嘉庆二年丁巳（一七九七）余年三十，四月初旬游于滦州之稻地镇。其时彼处小儿正染瘟疹痢症，十死八九，无力之家多半用代席裹埋，代席者代棺之席也，彼处乡风更不深埋，意在犬食，利于下胎不死，故各义冢中破腹露脏之儿日有百馀。余每日压马过其地，初未尝不掩鼻，后因念及古人所以错论脏腑皆由未尝亲见，遂不避污秽，每日清晨赴其义冢就群儿之露脏者细视之，犬食之馀，大约有肠胃者多，有心肝者少，互相参看，十人之中看全不过三人，连视十日大约看全不下三十馀人。始知医书中所绘脏腑形图与人之脏腑全不相合，即件数多寡亦不相符。唯胸中隔膜一片其薄如纸，最关紧要，及余看时皆已破坏，未能验明在心下心上是斜是正，最为遗憾。

这样的苦心孤诣的确够得上算求知识者的模范了。但是，日本接连的有许多人，中国却只一个。日本的汉法医有到刑场观脏的机会，中国则须得到义冢地去。日本在《藏志》之后有《解体新书》及其他，中国《医林改错》之后不知道有什么。

这是二者之不同。听说杉田玄白用汉文译述《解体新书》，一半理由固然在于汉文是当时的学术语，一半也因为想给中国人看，因为日本文化多受中国的恩惠，现在发见了学术的真理，便想送过去做个报答。中国人自己不曾动手，日本做好了送来的也不曾收到，咸丰年间英国合信（Hudson）医士译了《全体新论》送来，也不知道有没有医生看，——大约只有一个王清任是要看的，不过活着已有八九十岁了，恐怕也不及看见。从这里看来中国在学问上求智识的活动上早已经战败了，直在乾嘉时代，不必等到光绪甲午才知道。然而在现今说这话，恐怕还不大有人相信，亦未可知。

（二十二年十一月）

【鄢校】

①“鸣”原作“鸣”。

《听耳草纸》

看本月份的日本民俗人类学小杂志 *Dolmen*（可以暂译作《窆石》罢?）的纪事，才知道佐佐木喜善氏已于九月二十八日病故了。我初次看见佐佐木的名字还是在一九一〇年，《远野物语》刚出版，柳田国男氏在序文里说：

> 此中所记悉从远野乡人佐佐木镜石君听来，明治四十二年二月以来，晚间常来过访，说诸故事，因笔记之。镜石君虽非健谈者，乃诚实人也，余亦不加减一句一字，但直书所感而已。

《远野物语》是在日本乡土研究上有历史意义的书，但在当时尚不易为社会所了解，故只印三百五十部，序中又云：

> 唯镜石君年仅二十四五，余亦只忝长十岁已耳，生于事业尽多之今世，乃不辨问题之大小，用力失其当，将有如是言者则若之何？如明神山

之角鸱，太尖竖其耳，太圆瞪其目，将有如是责者则又若之何？吁，无可奈何矣，此责任则唯余应负之也。

计算起来佐佐木氏的年纪现在也不过四十七八而已，才过了中年不久，所以更是可惜了。这二十年来他孜孜不倦的研究民俗，还是那样悃愊无华的，尽心力于搜集纪录的工作，始终是个不求闻达的田间的学者，这我觉得是顶可佩服的事。他的著作我现在所有的只有下列这几种：

一、《江刺郡昔话》（一九二二年）

二、《紫波郡昔话》（一九二六年）

三、《东奥异闻》（同上）

四、《老媪夜谭》（一九二七年）

五、《听耳草纸》（一九三一年）

末了这一种是六百页的大册，凡一百八十三目，三百三篇的故事，内容既甚丰富，方法尤极精密，可为故事集的模范。柳田氏序中提出两点云：

佐佐木君最初也同许多东北人一样，感觉发达到几乎多梦似的锐敏的程度，对于故事之太下流的部分当然予以割弃，又有依据主观而定取舍的倾向。后来却能差不多按住了自己的脾气，为了那绝无仅有的将来少数的研究者留下这样客观的纪录，那决不是自然的倾向，而是非常努力的结果。

向来讲故乡的事情的人往往容易陷于文饰，现在却能脱去，特别是在这方面趣味本来发达的人而能够如此自制，这实在是很不小的努力罢。这里的问题只在如此特殊的苦心将来的研究者能够怎样的感谢才好呢。我在当初《紫波郡昔话》及《老媪夜谭》成书的时候，一面常同情于这为人家所不知道的辛苦，一面也兼司警戒之役，怕这书不要成为佐佐木君个人的文艺了么。到了现在，我想这个警戒的必要已经没有了。假如可能，只想予这采集者以若干的馀裕，使他能将这样辛苦的集录成的东西自己先来玩味一下。此外则是，不只是有些单纯的共鸣者起于各地，乃是期望渐渐有人出来，用了和他大略相同的态度，把本地的故事尽量的集录下来。

柳田氏所说的话实在可以作我们的当头棒喝。近年来中国研究民俗的风气渐渐发达，特别是在南方一带，搜集歌谣故事纪录风俗的书出来的很不少了，可是在方法上大抵还缺少讲究。集录歌谣的因为是韵语的关系，不能随便改写，还得保留原来的形状，若是散文故事那就很有了问题，减缩还要算是好的，拉长即是文饰之一种了，有时候同在话剧台上常要使用出旧戏的小丑或老生的表现法一样，增长故事里排调或方正的分子，这便成了所谓个人的文艺，而且又常常不是上好的一路，于是只好归入俗语的“文不像誊录生武不像救火兵”这类里去，正是画蛇添足点金成铁了。民间传述故事的时候往往因了说者的性质与爱好，一篇故事也略有变化的地方，不过那是自然变化，有如建筑刻石之为气候风雨所影响，是无可如何的事，若是搜集笔录的人不能够如实的记述，却凭了自己的才气去加以修饰，既失了科学的精严，又未能达到文艺的独创，那么岂不是改剜古碑的勾当，反是很可惜的么。还有一层，中国作这些工作的机关和人员都不能长久继续，这或者是因为这些都属于官立机关的缘故亦未可知，总之像佐佐木那么耐得寂寞，孜孜砣砣的搜集民俗资料，二十年如一日的人，点了灯笼打了锣去找也找不到，这是实在的。民俗学原是田间的学问，想靠官学来支持是不成的，过去便是证明，希望他在中国能够发展须得卷土重来，以田间学者为主干，如佐佐木氏的人便是一个模范值得我们景仰的了。

（二十二年十二月）

《一岁货声》

从友人处借来闲步庵所藏一册抄本，名曰《一岁货声》，有光绪丙午（一九〇六）年序，盖近人所编，记录一年中北京市上叫卖的各种词句与声音，共分十八节，首列除夕与元旦，次为二月至十二月，次为通年与不时，末为商贩工艺铺肆。序文自署“闲园鞠农偶志于延秋山馆”，其文亦颇有意思，今录于后：

虫鸣于秋，鸟鸣于春，发其天籁，不择好音，耳遇之而成声，非有所爱憎于人也。而闻鹊则喜，闻鸦则唾，各适其适，于物何有，是人之聪明日凿而自多其好恶者也。朝逐于名利之场，暮夺于声色之境，智昏气馁，而每好择好音自居，是其去天之愈远而不知也。嗟乎，雨怪风盲，惊心溅泪，诗亡而礼坏，亦何处寻些天籁耶？然而天籁亦未尝无也，而观夫以其所蕴，陡然而发，自成音节，不及其他，而犹能少存乎古意者，其一岁之货声乎。可以辨乡味，知勤苦，纪风土，存节令，自食乎其力，而益人于常行日用间者固非浅鲜也。朋来亦乐，雁过留声，以供夫后来君子。

凡例六则。其一云：“凡一岁货声注重门前，其铺肆设摊工艺赶集之类，皆附入以补不足。”其二云：“凡货声率分三类，其门前货物者统称货郎，其修作者为工艺，换物者为商贩，货郎之常见者与一人之特卖者声色又皆不同。”其四云：“凡同人所闻见者，仅自咸同年后，去故生新，风景不待十年而已变，至今则已数变矣。往事凄凉，他年寤寐，声犹在耳，留赠后人。”说明货声的时代及范围种类已甚明了，其纪录方法亦甚精细，其五则云：“凡货声之从口旁诸字者，用以叶其土音助语而已，其字下叠点者，是重其音，像其长声与馀韵耳。”如五月中卖桃的唱曰：

樱桃嘴的桃呕嗷噎啊……

即其一例。又如卖硬面饽饽者，书中记其唱声曰：

硬面唵，饽啊饽……

则与现今完全相同，在寒夜深更，常闻此种悲凉之声，令人怃然，有百感交集之概。卖花生者曰：

脆瓤儿的落花生啊，芝麻酱的一个味来，抓半空儿的——多给。

这种呼声至今也时常听到，特别是单卖那所谓半空儿的，大约因为应允多给的缘故罢，永远为小儿女辈所爱好。昔有今无，固可叹慨，若今昔同然，亦未尝无今昔之感，正不必待风景不殊举目有山河之异也。

自来纪风物者大都止于描写形状，差不多是谱录一类，不大有注意社会生活，讲到店头担上的情形者。《谑庵文饭小品》卷三《游满井记》中有这几句话：

> 卖饮食者邀诃好火烧，好酒，好大饭，好果子。

很有破天荒的神气，《帝京景物略》及《陶庵梦忆》亦尚未能注意及此。清光绪中富察敦崇著《燕京岁时记》，于六月中记冰胡儿曰：

> 京师暑伏以后，则寒贱之子担冰吆卖曰：冰胡儿！胡者核也。

又七月下记菱角鸡头曰：

> 七月中旬则菱芡已登，沿街吆卖曰：老鸡头，才下河。盖皆御河中物也。

但其所记亦遂只此二事，若此书则专记货声，描模维肖，又多附以详注，斯为难得耳。著者自序称可以辨乡味，知勤苦，纪风土，存节令，此言真实不虚，若更为补充一句，则当云可以察知民间生活之一斑，盖挑担推车设摊赶集的一切品物半系平民日用所必需，其闲食玩艺一部分亦多是一般妇孺的照顾，阔人们的享用那都在大铺子里，在这里是找不到一二的。我读这本小书，深深的感到北京生活的风趣，因为这是平民生活所以当然没有什么富丽，但是却也不寒伧，自有其一种丰厚温润的空气，只可惜现在的北平民穷财尽，即使不变成边塞也已经不能保存这书中的盛况了。

我看了这些货声又想到一件事，这是歌唱与吆喝的问题。中国现在似乎已没有歌诗与唱曲的技术，山野间男女的唱和，妓女的小调，或者还是唱曲罢，但在读书人中间总可以说不会歌唱了，每逢无论什么聚会在馀兴里只听见有人高唱皮簧或是昆腔，决没有鼓起喉咙来吟一段什么的了。现在的文人只会读诗词歌赋，会听或哼几句戏文，想去创出新格调的新诗，那是十分难能的难事。中国的诗仿佛总是不能不重韵律，可是这从哪里去找新的根苗，那些戏文老是那么叫唤，我从前生怕那戏子会回不过气来真是“气闭”而死，即使不然也总很不卫生的，假如新诗要那样的唱才好，亦难乎其为诗人矣哉。卖东西的在街上吆喝，要使得屋内的人知道，声音非很响亮不可，可是并不至于不自然，发声遣词都有特殊的地方，我们不能说这里有诗歌发生的可能，总之比戏文却要更与歌唱相近一点罢。卖晚香玉的道：

嗳……十朵，花啊晚香啊，晚香的玉来，一个大钱十五朵。

什么“来”的句调本来甚多，这是顶特别的一例。又七月中卖枣者唱曰：

枣儿来，糖的咯哒喽，尝一个再买来哎，一个光板喽。

此颇有儿歌的意味，其形容枣子的甜曰糖的咯哒亦质朴而新颖。卷末铺肆一门中仅列粥铺所唱一则，词尤佳妙，可以称为掉尾大观也，其词曰：

喝粥咧，喝粥咧，十里香粥热的咧。
炸了一个焦咧，烹了一个脆咧，脆咧焦咧，
像个小粮船的咧，好大的个儿咧。
锅炒的果咧，油又香咧，面又白咧，
扔在锅来漂起来咧，白又胖咧，胖又白咧，
赛过烧鹅的咧，一个大的油炸的果咧。
水饭咧，豆儿多咧，子母原汤儿的绿豆的粥咧。

此书因系传抄本，故颇多错误，下半注解亦似稍略，且时代变迁虑其间更不少异同，倘得有熟悉北京社会今昔情形如于君闲人者为之订补，刊印行世，不特存录一方风物可以作志乘之一部分，抑亦间接有益于艺文，当不在刘同人之《景物略》下也。

（二十三年一月）

《一岁货声》之馀

去年冬天曾借闲步庵所藏抄本《一岁货声》手录一过，后来对西郊自然居士说及，居士说在英国买到或是见过一本叫作《伦敦呼声》的书，可惜我终于未得拜见。近日翻阅弗来则博士的文集，其中有《小普利尼时代的罗马生活》与《爱迪生时代的伦敦生活》两篇很觉得可喜，在《伦敦生活》篇中讲到伦敦呼声，虽然都即根据《旁观》报，说的很简略，却也足供参考，今译出于下：

在爱迪生时代伦敦街上不但是景象就是声音也与现今的情形很有些不同。半夜里，睡着的人常被更夫打门从梦中惊醒，迷迷胡胡的听他嗡嗡的报告时刻，听他退到街上响着的铃声。在白天里，据说没有东西比那伦敦的呼声更会使得外国人听了诧异，使得乡下绅士出惊的了。洛及卡佛来勋爵离开他那庄园的静默，乌司得郡绿的路径和原野的寂静，来到伦敦大道的时候，他时常说他初上城的一星期里，头里老是去不掉那些街上的呼声，因此也睡不着觉。可是维尔汉尼昆却正相反，他觉得这比百灵的唱歌和夜莺的翻叫还好，他听这呼声比那篱畔林中的一切音乐还觉得喜欢。

伦敦呼声在那时候可以分作两种，即声乐与器乐。那器乐里包含着敲铜锅或熬盘，各人都可自由的去整个时辰的敲打，直闹得全街不宁，居民几乎神经错乱。阉猪的所吹的画角颇有点儿音乐味，不过这在市内难得听到，因为该音乐家所割治的动物并不是街上所常有的东西。但是声乐的各种呼声却更多种多样。卖牛奶的尖声叫得出奇，多感的人们听了会牙齿发酸。扫烟通的音调很是丰富，他的呼声有时升到最尖的高音，有时也降到最沉的低音去。同样的批评可以应用于卖碎煤的，更不必说那些收[1]破玻璃和砖屑的了。箍桶的叫出末了的一字用一种空音，倒也并不是没有调和。假如听那悲哀庄严的调子，问大家有没有椅子要修，那时要不感到一种很愉快的幽郁是不可能的。一年中应该腌黄瓜和小黄瓜的时候，便有些歌调出来叫人听了非常的舒服，只是可惜呀，这正同夜莺的歌一样，在十二个月里止有两个月能够听到。这是真的，那些呼声大抵不很清楚，所以极不容易辨别，生客听了也猜不出唱歌的所卖是什么东西，因此时常看见乡村里来的孩子跑出去，要想问修风箱的买苹果，或问磨刀剪的买生姜饼。即使文句可以明了的听出，这也无从推知那叫喊者的职业。例如吆喝有工我来做，谁能知道这是割稻的呢？然而在女王安尼朝代，也同我们的时代一样，有许多人他全不理会街上呼声的谐调，他不要听阉猪的画角的低诉，像聋似的对于那割稻的声音，而且在他的野蛮的胸中听了修椅子的音乐的请求也并不发生什么反应。我们曾听说有这样一个人，他拿钱给一个用纸牌看婚姻的，叫他不要再到他这条街里来。但是结果怎样呢？所有用纸牌看婚姻的在明天早上都来他门口走过，希望同样的用钱买走哩。

原书小注引斯威夫德的《给斯德拉的日记》一七一二年十二月十三日的一节云：

这里有一个吵闹的狗子，每天早晨在这个时候来烦扰我，叫唤着白菜和甘蓝。现在他正来闹着了。我愿他顶大的一棵白菜塞住他的嗓子。

在这里，我们固然看出斯威夫德牧师照例的那种狠相，但也可以想见那卖白菜的朋友怎样出力，因为否则他或者当不至于这样的被咒骂了。我不知道中国谁的日记或笔记里曾经说起过这些事情，平日读书太少实在说不出来，但如《越缦堂日记》《病榻梦痕录》等书里记得似乎都不曾有，大约他们对于这种市声不很留意，说不上有什么好恶罢。我只记得章太炎先生居东京的时候，每早听外边卖鲜豆豉的呼声，对弟子们说："这是卖什么的？natto，natto，叫的那么凄凉？"我记不清这事是钱德潜君还是龚未生君所说的了，但章先生的批评实在不错，那卖"纳豆"的在清早冷风中在小巷里叫唤，等候吃早饭的人出来买她一两把，而一把草苞的纳豆也就只值一个半铜元罢了，所以这确是很寒苦的生意，而且做这生意的多是女人，往往背上背着一个小儿，假如真是言为心声，那么其愁苦之音也正是无怪的了。北京叫卖声中有卖硬面饽饽的约略可以相比，特别在寒夜深更，有时晚睡时买些来吃，味道并不坏，但是买来时冻得冰凉的，那"双喜字加糖"之类差不多要在火炉上烤了吃才好了。

（廿三年二月十日记）

【锺校】

①原无"收"字，今增。

希腊神话一

哈理孙女士（Jane Ellen Harrison）生于一八五〇年，现在该有八十四岁了，看她过了七十还开始学波斯文，还从俄文翻译两种书，那么可见向来是很康健的罢。我最初读到哈理孙的书是在民国二年，英国的“家庭大学丛书”中出了一本《古代艺术与仪式》（*Ancient Art and Ritual*，1913），觉得她[①]借了希腊戏曲说明艺术从仪式转变过来的情形非常有意思，虽然末尾大讲些文学理论，仿佛有点儿鹘突，《希腊的原始文化》的著者罗士（R. T. Rose）对于她著作表示不满也是为此。但是这也正因为大胆的缘故，能够在沉闷的希腊神话及宗教学界上放进若干新鲜的空气，引起一般读者的兴趣，这是我们非专门家所不得不感谢她的地方了。

哈理孙是希腊宗教的专门学者，重要著作我所有的有这几部，《希腊宗教研究绪论》（*Prolegomena to*

the Study of Greek Religion，1922 三版），《德米思》（*Themis*，1927 二版），《希腊宗教研究结论》（*Epilegomena*，1921），其 *Alpha and Omega*（或可译作《一与亥》乎？）一种未得，此外又有三册小书，大抵即根据上述诸书所编，更简要可诵。一为“我们对于希腊罗马的负债”丛书（*Our Debt to Greece and Rome*）的第二十六编《神话》（*Mythology*，1924），虽只是百五十页的小册，却说的很得要领，因为他不讲故事，只解说诸神的起源及其变迁，是神话学而非神话集的性质，于了解神话上极有用处。二为“古今宗教”丛书中的《古代希腊的宗教》（*Religion of Ancient Greece*，1905），寥寥五六十页，分神话、仪式、秘法三节，很简练地说明希腊宗教的性质及其成分。三为《希腊罗马的神话》（*Myths of Greece and Rome*，1927），是彭恩六便士丛书之一，差不多是以上二书的集合，分十二小节，对于阿林坡思诸神加以解释，虽别无新意，但小册廉价易得，于读者亦不无便利。好的希腊神话集在英文中固然仓卒不容易找，好的希腊神话学更为难求，哈理孙的这些小书或者可以算是有用的入门书罢。

《希腊罗马的神话》引言上说：

希腊神话的研究长久受着两重严重的障害。

其一，直至现世纪的起头，希腊神话大抵是依据罗马或亚力山大的中介而研究的。一直到很近的时代，大家总用了拉丁名字去叫那希腊诸神，如宙斯（Zeus）是约夫（Jove），海拉（Hera）是由诺（Juno），坡塞同（Poseidon）是涅普条因（Neptune）之类。我们不想来打死老虎，这样的事现在已经不实行了。现在我们知道，约夫并不就是宙斯，虽然很是类似，密涅伐（Minerva）也并不就是雅典娜（Athena）。但是一个错误——因为更微妙所以也更危险的错误依然存留着。我们弃掉了拉丁名字，却仍旧把拉丁或亚力山大的性质去加在希腊诸神的上边，把他们做成后代造作华饰的文艺里的玩具似的神道。希腊的爱神不再叫作邱匹德（Cupid）了，但我们心里都没有能够去掉那带弓箭的淘气的胖小儿的印象，这种观念怕真会使得德斯比亚本地崇拜爱神的上古人听了出惊罢，因为在那里最古的爱洛斯（Eros，爱神）的像，据说原来是一块未曾雕琢的粗石头呀。

第二个障害是，直到近时希腊神话的研究总是被看作全然附属于希腊文学研究之下。要明白理解希腊作家——如诗人戏曲家以至哲学家的作品，若干的神话知识向来觉得是必要的。学者无论怎么严密地应用了文法规则之后，有时还不能不去查一下神话的典故。所以我们所有的并不是神话史，不是研究神话如何发生的书，却只是参考检查用的神话辞典。总而言之，神话不被当作一件他的本身值得研究的东西，不是人类精神历史的一部分，但只是附随的，是文学的侍女罢了。使什么东西居于这样附随的地位，这就阻止他不能发达，再也没有更有效的方法了。

还有一层，研究希腊神话而不注意仪式一方面，也是向来的缺点。《神话》引言中说：

各种宗教都有两种分子，仪式与神话。第一是关于他的宗教上一个人之所作为，即他的仪式。其次是一个人之所思索及想像，即他的神话，或者如我们愿意这样叫，即他的神学。但是他的作为与思索却同样地因了他的感觉及欲求而形成的。

神话与仪式二者的意义往往互相发明，特别像希腊宗教里神话的转变很快，后来要推想他从前的意思和形式[②]，非从更为保守的仪式中间去寻求难以得到线索，哈理孙的工作在这里颇有成就。她先从仪式去找出神话的原意，再回过来说明后来神话变迁之迹，很能使我们了解希腊神话的特色，这是很有益的一点。关于希腊神话的特别发达而且佳妙的原因，在《古代希腊的宗教》中很简明的说过：

> 希腊的宗教的材料，在神学（案即神话）与仪式两部分，在发展的较古各时期上，大抵与别的民族的相同。我们在那里可以找到鬼魂精灵与自然神，祖先崇拜，家族宗教，部落宗教，神之人形化，神国之组织，个人宗教，魔术，祓除，祈祷，祭献，人类宗教的一切原质及其变化。希腊宗教的特色并不是材料，只在他的运用上。在希腊人中间宗教的想像与宗教的动作，虽然在他们行为上并非全无影响，却常发动成为人类活动的两种很不相同的形式，——此二者平常看作与宗教相远的，其实乃不然。这两种形式是艺术，文字的或造形的，与哲学。凭了艺术与哲学的作用，野蛮分子均被消除，因为愚昧丑恶与恐怖均因此净化了，宗教不但无力为恶，而且还有积极的为善的能力了。

《神话》第三章《论山母》中关于戈耳共（Gorgon）的一节很能具体的证明上边所说的话，其末段云：

> 戈耳共用了眼光杀人，它看杀人，这实在是一种具体的恶眼（Evil Eye）。那分离的头便自然

地帮助了神话的作者。分离的头，那仪式的面具，是一件事实。那么，那没有身子的可怕的头是那里来的呢？这一定是从什么怪物的身上切下来的，于是又必须有一个杀怪物的人，贝尔修斯（Perseus）便正好补这个缺。所可注意的是希腊不能在他们的神话中容忍戈耳共的那丑恶。他们把它变成了一个可爱的含愁的女人的面貌。照样，他们也不能容忍那地母的戈耳共形相。这是希腊的美术家与诗人的职务，来洗除宗教中的恐怖分子。这是我们对于希腊的神话作者的最大的负债。

哈理孙写有一篇自传，当初登在《国民》杂志（*The Nation*）上，后又单行，名曰《学子生活之回忆》（*Reminiscences of a Student's Life*, 1925）。末章讲到读书，说一生有三部书很受影响，一是亚列士多德的《伦理学》，二是柏格孙的《创造的进化》，三是弗洛伊特的《图腾与太步》（*Totemism and Taboo*），而《金枝》（*The Golden Bough*）前后的人类学考古学的书当然也很有关系，因为古典学者因此知道比较人类学在了解希腊拉丁的文化很有帮助了。

泰勒（Tylor）写过了也说过了，斯密斯（Robertson Smith）为异端而流放在外，已经看过东方的星星了，可是无用，我们古典学者的聋蛇还是塞住了我们的耳朵，闭上了我们的眼睛。但是一听到《金枝》这句咒语的声音，眼上的鳞片便即落下了，我们听见，我们懂得了。随后伊文思（Arthur Evans）出发到他的新岛去，从它自己的迷宫里打电报来报告牛王（Minotauros）的消息，于是我们不得不承认这是一件重要的事件，这与荷马问题有关了。

《回忆》中讲到所遇人物的地方有些也很有意思，第二章《坎不列治与伦敦》起首云：

在坎不列治许多男女名流渐渐与我的生活接触起来了。女子的学院在那时是新鲜事情，有名的参观人常被领导来看我们，好像是名胜之一似的。屠格涅夫（Turgenev）来了，我被派去领他参观。这是千载一时的机会。我敢请他说一两句俄文听听么？他的样子正像一只和善的老的雪白狮子。阿呀，他说的好流利的英文，这是一个重大的失望。后来拉斯金（Ruskin）来了。我请他看我们的小图书馆。他看了神气似乎不很赞成。他严重地说道，青年女子所读的书都该用白牛皮纸装钉才是。我听了悚然，想到这些红的摩洛哥和西班牙皮装都是我所选定的。几个星期之后那个老骗子送他的全集来给我们，却全是用深蓝色的小牛皮装的！

末了记述一件很有趣的事：

我后来在纽能学院所遇见的最末的一位名人即是日本的皇太子。假如你必须对了一个够做你的孙子的那样年青人行敬礼，那么这至少可以使你得点安慰，你如知道他自己相信是神。正是这个使我觉得很有趣。我看那皇太子非常的有意思。他是很安详，有一种平静安定之气，真是有点近于神圣。日本文是还保存着硬伊字音的少见的言语之一种。所有印度欧罗巴语里都已失掉这个音，除俄罗斯文外，虽然有一个俄国人告诉我，他曾听见一个伦敦卖[3]报的叫比卡迭利（Piccadilly）的第三音正是如此。那皇太子的御名承他说给我听有两三次，但是，可惜，我终于把它忘记了。

所谓日本的硬伊字音不知道是怎么一回事，假如这是俄文里好像是ы或亚拉伯数字六十一那样的字，则日本也似乎没有了，因为我们知道日本学俄文的朋友读到这音也十分苦斗哩，——或者这所说乃是朝鲜语之传讹乎。

结论的末了说：

在一个人的回忆的末后似乎该当说几句话，表示对于死之来临是怎样感想。关于死的问题，在我年青的时候觉得个人的不死是万分当然的。单一想到死就使得我暴躁发急。我是那样执著于生存，我觉得敢去抗拒任何人或物，神，或魔鬼，或是运命她自己，来消灭我。现在这一切都改变了。假如我想到死，这只看作生之否定，一个结局，一条末了的必要的弦罢了。我所怕的是病，即坏的错乱的生，不是怕的死。可是病呢，至现在为止，我总逃过了。我于个人的不死已没有什么期望，就是未来的生存也没有什么希求。我的意识很卑微地与我的身体同时开始，我也希望他很安静地与我的身体一同完了。

“会当长夜眠，无复觉醒时。”

那么这里是别一个思想。我们现在知道在我们身内带着生命的种子，不是一个而是两个生命，一是种族的生命，一是个人的生命。种族的生命维持种族的不死，个人的生命却要受死之诱惑，这种情形也是从头就如此的。单细胞动物确实是不死的，个人的复杂性却招到了死亡。那些未结婚的与无儿的都和种族的不死割断了关系，献身于个人的生活，——这是一条侧线，一条死胡同，却也确是一个高上的目的。因了什么奇迹我免避了结婚，我也不知道，因为我一生都是在爱恋中的。但是，总而言之，我觉得喜欢。我并不怀疑我是损失了许多，但我很相信得到的更多。结婚至少在女人方面要妨害两件事，这正使我觉得人生有光荣的，即交际与学问。我对于男子所要求的是朋友，并不是丈夫。家庭生活不曾引动过我。这在我看去顶好也总不免有点狭隘与自私，顶坏是一个私地狱。妻与母的职务不是一件容易事，我的头里又满想着别的事情，那么一定非大失败不可。在别方面，我却有公共生活的天赋才能，我觉得这种生活是健全，文明，而且经济地正当。我喜欢宽阔地却也稍朴素地住在大屋子里，有宽大的地面与安静的图书馆。我喜欢在清早醒来觉得有一个大而静的花园围绕着。这些东西在私人的家庭里现已或者即将不可能了，在公共生活里却是正当而且是很好的。假如我从前很富有，我想设立妇女的一个学问团体，该有献身学术的誓言和美好的规律与习惯。但在现在情形之下，我在一个学院里过上多年的生活也就觉得满足了。我想文化前进的时候家庭生活如不至于废灭，至少也将大大的改变收缩了罢。

老年是，请你相信我，一件好而愉快的事情。这是真的，你被轻轻地挤下了戏台，但那时你却可以在前排得到一个很好的座位去做看客，而且假如你已经好好地演过了你的戏，那么你也就很愿意坐下来看看了。一切生活都变成没有以前那么紧张，却更柔软更温暖了。你可以得到种种舒服的，身体上的小小自由，你可以打着瞌睡听干燥的讲演，倦了可以早点去睡觉。少年人对你都表示一种尊敬，这你知道实在是不敢当的。各人都愿意来帮助你，似乎全世界都伸出一只好意的保护的手来。你老了的时候生活并没有停住，他只发生一种很妙的变化罢了。你仍旧爱着，不过你的爱不是那烧得鲜红的火炉似的，却是一个秋天太阳的柔美的光辉。你还不妨仍旧恋爱下去，还为了那些愚蠢的原因，如声音的一种调子，凝视的眼睛的一种光亮，不过你恋的那么温和就是了。在老年时代你简直可以对男子表示你喜欢和他在一起而不致使他想要娶你，或是使他猜想你是想要嫁他。

这末了几节文章我平常读了很喜欢，现在趁便就多抄了些，只是译文很不惬意，但也是无法，请读者看其大意可也。

（二十三年一月二十四日，于北平）

【鄢校】

①“她”原作“他”。

②“式”原作“守”。

【锺校】

③“卖”原作“买”。

希腊神话二

我对于神话向来有点喜欢。这个缘故说起来恐怕有点长远。小时候看说部演义，神怪故事着实看了不少，这很有许多潜势力，其中要以《西游记》和《封神传》为最有关系。故事的古怪，荒唐，这都不要紧，第一是要不太可怕，便是好故事，而且古怪荒唐得好的时候往往能够把可怕的分子中和了，如有人批评阿普刘思（Apuleius）的《变形记》（*Metamorphoses*），里边虽有杀人放火僵尸狼人的事件，以现实为背景，而写得离奇惝怳，好像一切都笼罩在一层薄雾里，看去不甚明显迫近，因此就不会感到恐怖嫌恶。《聊斋志异》《夜谈随录》，文笔的确不坏，有些故事却使我读了至今害怕，我不信鬼怪而在黑暗凄寂中有时也要毛戴，这便是读过可怕的故事的影响。《封神》《西游》并不如此，他没有什么可怕的事，却只是讲荒唐古怪的“大头天话”，特别是《西游》，更多幽默有趣的笔致，正如我的祖父所说，这很足以开发儿童的神智。孙悟空打败了赶紧摇身一变变成一座破庙，只剩尾巴没处安顿，便变成一枝旗竿竖在庙背后，被人家看出了破绽。这一节故事他常常背给我们听，当作一个好例，说罢自己也呵呵大笑，虽然他平日是很严峻的人。近年来似乎文以载道之说复兴，大家对于书本子上的话十分认真，以为苟非真理即是诳语，关系世道人心殊非浅鲜，因此神话以至童话都发生问题，仿佛小孩读了《封神传》就会归截教，看了《西游记》就要变小妖似的，这原是见仁见智，难以言语相争，不过据我想来那也何至于此呢。事实是这些书看了颇有意思，我至今还想念它，可是也并没有相信邪教练法术，我自己所可说的就是这几句话。

还有一个原因是从外面来的，因为听说读外国文学书须得懂一点神话才行。哈理孙女士曾说：

> 要明白理解希腊作家——如诗人戏曲家以至哲学家的作品，若干的神话知识向来觉得是必要的。学者无论怎么严密地应用了文法规则之后，有时还不能不去查一下神话的典故。

她是研究宗教的，这里边包含神话与仪式两种东西，不能偏废，现在如把神话作为文学的附属品，不当做宗教的一部分去研究，她觉得不满原是应该的，但如从文学的立场来说，那么这也正是必须，但当离之则双美耳。还有一层，希腊神话本身便是一种优美的艺术品，当作文艺也值得单独的去读。本来神话的内容材料与别民族没有什么大异，只因运用不同，把愚昧丑恶等野蛮分子净化了，便成就了诗化的神话。哈理孙女士说过："这是希腊的美术家与诗人的职务，来洗除宗教中的恐怖分子。这是我们对于希腊的神话作者的最大的负债。"再从别一方面说，神话与童话也有密切的关联。故事还是这一件故事，拿来说明宇宙文化之所以然，这算是神话，只当做小说听了好玩便是童话，若是相信某人某地所曾有过的事迹，那又在这两者之间，是一种传说了。神话可以说是古代初民的科学，传说是历史，童话是文艺，大有一气化三清之概，这在我喜欢童话的人，又觉得是很有意思的事。

因为这些缘故，我对于希腊神话特别有好感，好久就想翻译一册到中国，可是这也很不容易。第一为难的是底本的选择。我最初所有的是一本该莱（C. M. Gayley）所编的《英国文学上的古典神话》，无出版年月，我买这书在一九〇六年[1]初到日本的时候，其目的便是为文学典故的参考。这不是一卷纯粹的神话集，只以柏耳芬志（T. Bulfinch）的《传说的时代》作蓝本，加以增补，引许多英国诗文以为例证，虽适宜于读英文学者的翻阅，全部译成汉文是劳而无功的事情。其次再看《传说的时代》，此书著于七十年前，却至今销行，我的一册是《人人丛书》本，一九一〇年新版，文章写得很有趣味，日本有野上弥生子的译本，近来又收入《岩波文库》中，可以想见这书的价值，不过我也不想译他。这为什么缘故呢？当时我看了一点人类学派的神话解释，总觉得旧说不对，因此也嫌这里边有些说法欠妥帖。又为了同一原因，也就不满意于德国的两种小册子。这都叫作《希腊罗马神话》，其一是斯妥伊丁（H. Steuding）著，英译有两种，一是英国本，巴纳忒（L. D. Barnett）译，收在《邓普耳初步丛书》里，一是美国本，哈林顿与妥耳曼（Harrington and Tolman）二人译，哈理孙女士举参考书时曾提及。这本小书我也颇喜欢，因为他不专讲故事而多论其异同及意义，又常说明神话中人名的字义，皆非普通神话书所有，但毛病也就出在这里，就是那旧式的天文气象的解释。其二是惹曼（O. Seemann）所著的，英译有比安奇（Bianchi）本，其毛病与上边相同，虽然未全备那些好处。哈理孙女士的两册，即“希腊罗马的负债”丛书中的《神话》与“彭恩六便士丛书”中的《希腊罗马的神话》，解释是好的了，但有说明而无本事，与詹姆士（H. R. James）的《我们的希腊遗产》中所讲略同，这总得在先有了一本神话集之后才能有用。菲厄板克思（A. Fairbanks，一九〇六）的一册是以作西洋美术和文艺的参考为主的，塔忒洛克女士（J. M. Tatlock，一九一六）的讲给学生听也很漂亮，这都有可取。福克思（W. S. Fox，一九一六）的是“各民族神话丛书”之一，内容丰富确实，又洛士（R. J. Rose）的《希腊神话要览》（一九二八）算最晚出，叙录故事之外又有研究资料，我觉得这是一部很好的书，但是，要翻译却又似乎太多一点了。关于选择这一件事情上总是疑惑不决，虽然当时如决心起手译了塔忒洛克或福克思也就不错。

读英国俄来德（F. A. Wright）的《希腊晚世文学史》，卷二讲到阿坡罗陀洛斯（Apollodorus）的著作云：

> 第四种书，也是著作年代与人物不很确实的，是阿坡②罗陀洛斯的《书库》，希腊神话与英雄传说的一种纲要，从书册中集出，用平常自然的文体所写。福都思主教在九世纪时著作，以为此书作者是雅典文法家，生存于基督前百四十年顷，曾著一书曰《诸神论》，但是这已证明非

是，我们从文体考察大抵可以认定是西历一世纪时的作品。在一八八五年以前我们所有的只是这七卷书中之三卷，但在那一年有人从罗马的梵谛冈图书馆里得到全书的一种节本，便将这个暂去补足了那缺陷。卷一的首六章是诸神世系，以后分了家系叙述下去，如斗加利恩，伊那珂斯，阿格诺耳及其两派，即欧罗巴与加特摩斯，贝拉思戈斯，阿忒拉斯，阿索坡斯。在卷二第十四章中我们遇到雅典诸王，德修斯在内，随后到贝洛普斯一系。我们见到忒罗亚战争前的各事件，战争与其结局，希腊各主帅的回家，末后是阿迭修斯的漂流。这些都简易但也颇详细的写出，如有人想得点希腊神话的知识，很可以劝他不必去管那些现代的参考书，最好还是一读阿坡罗陀洛斯，有那茀来则勋爵的上好译本。

阿坡罗陀洛斯的《书库》（*Bioliothēkē*）与巴耳德尼阿斯（Parthenius）的《恋爱故事》，这是希腊神话集原书之仅存者，我虽亦知道其可贵重，但那时一心要找现代的参考书，没有想到他，如今恍然大悟，即刻去从书箱里找了出来，在《希腊拟曲》完工之后便动手来翻译这部神话了。

阿坡罗陀洛斯原书收在“古典丛书”内，有茀来则的译注。弗来则在绪论上说：

《书库》可以说是希腊神话及英雄传说的一种梗概，叙述平易，不加修饰，以文学中所说为依据，作者并不说采用口头传说，在证据上及事实的可能上也可以相信他并不采用，这样几乎可以确说他是完全根据书卷的了。但是他选用最好的出处，忠实地遵从原典，只是照样纪述，差不多没有敢想要说明或调解原来的那些不一致或矛盾。因此他的书保存着文献的价值，当作一个精密的纪载，可以考见一般希腊人对于世界及本族的起源与古史之信念。作者所有的缺点在一方面却变成他的长处，去办成他手里的这件工作。他不是哲学家，也不是词章家，所以他编这本书时既不至于因了他学说的关系想要改窜材料，也不会为了文章的作用想要加以藻饰。他是一个平凡的人，他接受本国的传说，简直照着字面相信过去，显然别无什么疑虑。许多不一致与矛盾他都坦然地叙述，其中只有两回他曾表示意见，对于不同的说法有所选择。长庚星的女儿们（Hesperides）的苹果，他说，并不在吕比亚，如人们所想，却是在远北，从北风那边来的人们的国里，但是关于这奇怪的果子和看守果子的百头龙的存在，他似乎还是没有什么怀疑。

其他一例，因为枯燥一点，今且从略。弗来则又说：

在几点上阿坡罗陀洛斯的《书库》颇与《旧约创世纪》相似。两者都算是纪载世界的历史，从创造起头，或是从安排这世界时为始，直至作者的祖先出现于地上，这便是他本族的住家，勋业的背景。在这两种著作里，自然的移动与人事的转变都从神话传说的幻光里看过去，又多因这朦胧的烟雾而被歪曲或放大了。这两者都是综合成的，为一个比较晚出的编者缀合而成，他把从各样文书抽出来的材料加以编比，并不怎么用心去说明其间的差异或融和其不一致的地方。不过到了这里二者相似之点也就完了。《创世纪》是一篇文学天才的杰作，而阿坡罗陀洛斯的《书库》则是一个平常人的单调的编著，他重述故事，没有一点想像的笔触，没有一片热情的光耀，这些神话传说在古时候都曾引起希腊诗歌之不朽的篇章，希腊美术之富美的制作来过的。但是我们总还该感谢他，因为他给我们从古代文学的破船里保留下好些零星的东西，这假如没有他的卑微的工作，也将同了许多金宝早已无可挽救地沉到过去的不测的大洋里去了。

我找到阿坡罗陀洛斯的希腊神话来翻译，自己觉得很是愉快也是有意义的事，目下所感到的困难乃是人神的名字太多，译音容易混乱，但别无妙法，还只得一个个的用汉字校了又译译了又校耳。

（二十三年三月）

【锺校】

①原无“年”字，今增，从下文改。

②“坡”原作“颇”，从下文改。

《金枝上的叶子》

《金枝上的叶子》是弗来则夫人（Lilly Frazer）所编的一本小书。提起金枝，大家总会想到弗来则博士的大著，而且这所说的也正是那《金枝》。这部比较宗教的大著在一八九〇年出版，当初只有两本，二十年后增广至八卷十二册，其影响之大确如《泰晤士报》所说，当超过十九世纪的任何书，只有达尔文斯宾塞二人可以除外。英国哈同教授在所著《人类学史》上说：

> 对于明悉吾国现在比较宗教研究的情形的人，可无须再去指出曼哈耳德，泰勒与洛伯生斯密司等人对于后来学者之影响，或再提示弗来则教授之博学与雄文，其不朽大著《金枝》今已成为古典，或哈忒阑氏之《贝耳修斯的故事》研究了。

斯宾司的《神话学概论》里也是这样说，虽然有人批评他继承曼哈耳德的统系，到处看出植物神来，或者说他太把宗教分层化了，但其无妨为伟大之作乃是无疑的。斯宾司说：

> 《金枝》一书供给过去和现在一代的神话学民俗学家当作神话和人类学事实的一种大总集，很有功用。没有人能够逃过他那广大的影响。这是学问的积聚，后世调查者总得常去求助于此。

但是说得最有趣味的乃是哈理孙女士，在她的《学子生活之回忆》第末章中说：

> 回过头来看我的一生，我是怎么迟回颠蹶的走向自己专门的路上去的。希腊文学的专门学问，我早觉得是关了门的了。我在坎不列治那时候所知道的唯一的研究工作是本文考订，而要工作有成绩我的学力却是决不够的。我们希腊学者在那时实在是所谓黑暗里坐着的人们，但是我们不久便看见了一道大光明，两道大光明，即考古学，人类学。古典在长眠中转侧起来了。老年人开始见幻景，青年人开始做梦了。我刚离开坎不列治，那时须理曼在忒罗亚着手发掘。在我的同辈之中有茀来则，他后来就用了金枝的火光来照野蛮迷信的黑暗树林了。那部书的好名目——茀来则勋爵真有题书名的天才——引起了学者们的

注意。他们在比较人类学里看出一件重要的东西，真能解明希腊或罗马的本文。泰勒已经写过了也说过了，洛伯生斯密斯为异端而流放在外，已经看过东方的星星了。可是无用，我们古典学者的聋蛇还是堵住了我们的耳朵，闭上了我们的眼睛。但是一听到《金枝》这句咒语的声音，眼上的鳞片便即落下，我们听见，我们懂得了。随后伊文思出发到他的新岛去，从它自己的迷宫里打电报来报告牛王的消息，于是我们不得不承认这是一件重要的事，这与荷马问题有关了。

话虽如此说，这十二册的大书我却终于没有买，只得了一册的节本，此外，更使我觉得喜欢的，则是这一小本《金枝上的叶子》。此书里共分六部，一基督降诞节与寄生树，二怪物，三异俗，四神话与传说，五故事，六景色，有插画十六页。弗来则夫人小序云：

圣诞前夜的木柴发出光明的火焰，圣诞树上各色的蜡烛都在烛台上摇晃，音乐队作起乐来，一切都很高兴像是婚宴，那时我们散步，或者我们亲吻，在寄生树的枝下。我们有几个知道，或者我们知道却又有几个记得，那寄生树就是威吉尔的所谓金枝，埃纳亚斯就拿了这个下降到阴暗的地下界去的呢？我们现在愿意忘记这一切艰深的学问，一切悲苦，在这大年夜里。鬼和妖怪或者还在阴暗中装鬼脸说怪话，妖婆或者骑了扫帚在头上飞过，仙人和活泼的小妖或者在月下高兴的跳着，但是他们不会吓唬我们。因为我们是裹在梦中，这是黄金的梦，比平日实际还要真实的梦，我们希望暂时继续去梦见那一切过去的梦幻的世界。

青年朋友们可以相信，我太爱他们了，不想把他们从美丽的梦想中叫醒过来。我采摘了这些散乱的叶子，选择一下，送给那些正是青春年纪的人们。我并不想教导，我的目的只是使人快乐，使人喜欢。这书《金枝》的著者查遍了全世界的文献来证明他自己的论旨，这些论旨在这里与我们没有关系。书中故事都仍用著者的原语，他的魔术杖一触却使那些化成音乐了，我所乐做的工作就只是把这许多银色里子的叶子给青年们编成一个花冠罢了。

弗来则博士文章之好似乎确是事实而并非单是夫人的宣传。我有他的一本文集，一九二七年出版，题云《戈耳共的头及其他文章》，他编过诗人古柏的信，写了一篇传记，又编亚迪生的论文，写了一篇序，均收入集内，又仿十八世纪文体写了六篇文章，说是“旁观社”的存稿，读者竟有人信以为真，至于《戈耳共的头》一篇以希腊神话为材料，几乎是故意去和庚斯莱（Kingsley）比赛了。大约也未必因为是苏格兰人的缘故罢，在这一点上却很令人想起安特路朗（Andrew Lang）来。《金枝上的叶子》共有九十一篇，大都奇诡可读，我最喜欢那些讲妖婆的，因为觉得西方的妖婆信仰及其讨伐都是很有意义的事，但是那些都长一点，现在只挑选了短的一篇《理查伦主教的魔鬼》译出以见一斑，云原文见《金枝》卷七《罪羊》中也：

> 没有在拉巴陀冰冻的海岸的爱思吉摩人，也没有在吉亚拿闷热的森林的印第安人，也没有在孟加拉树林里发抖的印度人，比那十三世纪上半主持显达耳地方西妥派修道院的理查伦更怕恶鬼，觉得他们永远在他周围的。在他那奇怪的著作所谓《启示录》里他表明怎么时时刻刻的为魔鬼所扰，这个东西他虽然不能看见，却能够听见，他把所有肉体上的苦痛与精神上的缺点都归罪于他们。假如他觉得烦躁，他相信这种心情是魔鬼的力量给他造成的。假如他鼻上发生皱纹，假如他下唇拖下，那么魔鬼又得负责，咳嗽，头

风，吐痰，唾沫，那如无超自然的鬼怪的缘因是不会有的。假如在秋天好太阳的早晨他在果园散步，这位肥胖的主教弯腰去拾起一个夜间落下的熟果子，那时血液升到他紫色的脸上来，这也由于他那看不见的敌人的主使。假如主教睡不着在床上转侧，月光从窗间照进来，把窗棂的影子映在房内地板上像是一条条的黑棒，这使他醒着的也决不是跳蚤或其他，不，他明智的说道，虫豸是并不真会咬人的，——他们似乎的确咬了人，但这都是魔鬼的把戏。假如一个道友在卧室内打呼，那难听的声音并不出于他，却是从那躲在他身里的魔鬼发出来的。对于身体上和精神上的一切不适的原因这样的看去，那么主教所开的药方不是本草上所有也不是药铺里所能买到，这正是当然的了。这大部分是圣水和十字架的符号，他特别推荐画十字当做治跳蚤咬的单方。

（廿三年二月）

《清嘉录》

《清嘉录》十二卷，吴县顾禄著，记述吴中岁时土俗，颇极详备，光绪戊寅（一八七八）有重刊本，在《啸园丛书》中，现今甚易得。原书初刊于道光中，后在日本翻刻，啸园葛氏所刻已是第三代，所谓孙子本矣，校雠不精，多有讹字，唯其流通之功不可没耳。

顾禄字总之，又字铁卿，所著书除《清嘉录》外，寒斋仅有《颐素堂丛书》八种，《颐素堂诗钞》六卷。丛书中第五种曰《御舟召见恭纪》为其高祖嗣立原著，第七种《山堂五箴》为其友韦光黻著，第四种《烟草录》与褚逢椿共著，馀皆顾氏自作。其一曰《雕虫集》，内小赋三十四篇。二曰《紫荆花院排律》，凡试帖诗四十首。三曰《骈香俪艳》，仿《编珠》之例，就花木一类，杂采典故，列为百五十偶。六曰《省闱日纪》，道光壬午（一八二二）秋与韦光濑应乡试纪行之作，七月朔至八月二十日，共历五十日。八曰《买田二十约》，述山居生活的理想，简而多致。以上五书均可以窥见作者的才情韵致，而《日纪》与《二十约》尤佳。如《二十约》之十九曰：

约，酒酣灯灺，间呼子墨，举平日乡曲所目经耳历者，笔之于简，以恣滑稽调笑，至如朝事升沉，世情叵测，居山不应与闻。

《日纪》在八月项下云：

十七日戊午，平明出万绿山庄，万枝髡柳，烟雨迷离，舟中遥望板屋土墙，幽邃可爱。舟人挽纤行急，误窜入罾网中，遂至勃豀。登岸相劝，几为乡人所窘，偿以百钱，始悻悻散。行百馀里，滩险日暮，不敢发，约去港口数里泊。江潮大来，荻芦如雪，肃肃与风相搏。推窗看月[①]，是夕正望，宛如紫金盘自水中涌出。水势益长，澎湃有声。与君绣侣梅纵谈，闻金山蒲牢声，知漏下矣，覆絮衾而眠。

正可说大有《吴船》之嗣响也。

《颐素堂诗钞》六卷，共古今体诗三百二首，道光乙酉（一八二五）年刊本，刻甚精工。诗中大抵不提岁月，故于考见作者生活方面几乎无甚用处，唯第三卷诗三十七首皆咏苏州南京中间景物，与《省闱日纪》所叙正合，知其为道光壬午秋之作耳。《雕虫集》刊于嘉庆戊寅（一八一八），褚逢椿序云，顾君总之髫龄时所撰也。《颐素堂诗钞》出版于七年后，林衍源序云，总之之才为天所赋，尚在少年，而诗之多且工若是，是则可传也。约略因此可以知其年辈，其生卒出处则仍未知其详。至于诗，诸家序跋题词虽然很是称扬，但在我外行看去却并不怎么好，卷五中这一首诗似乎要算顶好了，题曰《过某氏园》：

我昔曾经此，春风绕砌香。
今来能几日，青草似人长。
风竹忽敲户，雨花时堕墙。
谁将盛罗绮，珍重惜韶光。

《清嘉录》十二卷这恐怕是顾氏最重大的业绩了罢。如顾承序中所说：

荟萃群书，自元日至于岁除，凡吴中掌故之可陈，风谣之可采者，莫不按节候而罗列之，名之曰《清嘉录》，洵吾吴未有之书也。

凡每卷记一月的事情，列项目共二百四十二，纪述之后继以征引，间加考证。如顾日新序中所说：

访诸父老，证以前闻，纠缪摘讹，秩然有体。庄子谓道在蝼蚁，道在尿溺。夫蝼蚁尿溺至微且浊矣，而不嫌每下而愈况，盖天地之至道贯于日用人事，其传之于世者皆其可笔之于书者也。

称赞与辩解混合的说法在当时大约也不可少，其意思也有几分道理，不过未免说的旧式一点罢了。我们对于岁时土俗为什么很感到兴趣，这原因很简单，就为的是我们这平凡生活里的小小变化。人民的历史本来是日用人事的连续，而天文地理与物候的推移影响到人事上，便生出种种花样来，大抵主意在于实用，但其对于季节的反应原是一样的。在中国诗歌以及绘画上这种情形似乎亦很显著，普通说文学滥调总是风花雪月，但是滥调则不可（凡滥调均不可），风花雪月别无什么毛病，何足怪乎。池塘生春草，园柳变鸣禽，这与看见泥土黑了想到可以下种，同是对于物候变迁的一种感觉，这里不好说雅俗之分，不过实者为实用所限，感触不广，华或虚者能引起一般的兴趣，所以仿佛更多诗意了。在这上面再加上地方的关系，更是复杂多趣，我们看某处的土俗，与故乡或同或异，都觉得有意味，异可资比较，同则别有亲近之感。《清嘉录》卷四记立夏日风俗，其“秤人”一条云：

家户以大秤权人轻重，至立秋日又秤之，以验夏中之肥瘠。蔡云《吴歈》云，风开绣阁扬罗衣，认是秋千戏却非，为挂量才上官秤，评量燕瘦与环肥。

南方苦热，又气候潮湿，故入夏人常眠食不服，称曰蛀夏，秤人之俗由是而起，若在北地则无是矣。又卷五记梅雨有“梅水”一条云：

居人于梅雨时备缸瓮收蓄雨水，以供烹茶之需，名曰梅水。徐士铉《吴中竹枝词》云，阴晴不定是黄梅，暑气薰蒸润绿苔，瓷瓮竞装天雨水，烹茶时候客初来。案长元吴志皆载梅天多雨，雨水极佳，蓄之瓮中，水味经年不变。又《昆新合志》云，人于初交霉时备缸瓮贮雨，以其甘滑胜山泉，嗜茶者所珍也。

正如卷首例言所说：“吴越本属一家，而风土大略相同，故书中杂引浙俗为最繁。”这里记的原是吴俗，而在我读了简直觉得即是故乡的事情了。我们在北京住惯了的平常很喜欢这里的气候风土，不过有时想起江浙的情形来也别有风致，如大石板的街道，圆洞的高大石桥，砖墙瓦屋，瓦是一片片的放在屋上，不要说大风会刮下来，就是一头猫走过也要格格的响的。这些都和雨有关系。南方多雨，但我们似乎不大以为苦。雨落在瓦上，瀑布似的掉下来，用竹水溜引进大缸里，即是上好的茶水。在北京的屋瓦上是不行的，即使也有那样的雨。出门去带一副钉鞋雨伞，有时候带了几日也常有，或者不免淋得像落汤鸡，但这只是带水而不拖泥，石板路之好处就在此。不过自从维新志士拆桥挖石板造马路拉东洋车之后情形怕大不相同了，街上走走也得拖泥带水，目下唯一馀下的福气就只还可以吃口天落水了罢。从前在南京当学生时吃过五六年的池塘水，因此觉得有梅水可吃实在不是一件微小的福气呀。

［附记］案明谢在杭《五杂组》卷三云：

> 闽地近海，井泉水多咸，人家惟用雨水烹茶，盖取其易致而不臭腐，然须梅雨者佳。江北之雨水不堪用者，屋瓦多粪土也。

又卷十一云：

> 闽人苦山泉难得，多用雨水，其味甘不及山泉而清过之。然自淮而北则雨水苦黑，不堪烹茶矣，惟雪水冬月藏之，入夏用乃绝佳。夫雪固雨所凝也，宜雪而不宜雨，何故？或曰，北地屋瓦不净，多秽泥涂塞故耳。

此两节均说明北方雨水不能用之故，可供参证。

【鄢校】

①“月”原作“夕”。

附：日本知言馆刻《清嘉录》序

（朝川鼎）

近刻清人诗集舶到极多，以余所见尚有二百馀部，而传播之广且速莫顾君铁卿《颐素堂诗钞》若也，梓成于道光庚寅首夏，而天保辛卯三月余得诸江户书肆玉岩堂，盖冬帮船所致也。夫隔海内外而商舶往来一年仅不过夏冬两度，又且长崎之于江户相距四十日程而远，然而其书刻成不一年，自极西而及于极东，所谓不胫而走，是岂偶然哉。今诵其诗，各体咸备，众妙悉臻，彬彬风雅，比兴不坠，如咏古诸什最多杰作，皆中晚唐人之诗，宜其行远而传世也。末又附《清嘉录》十二卷，盖纪吴中民间时令也。吴古扬州地，东际大海，西控震泽，山川衍沃，水陆所凑，唐宋以来号称繁华之区，亦江南一大都会也。如星野山川城郭土田人物食货灾祥艺文之类，县志邑乘或能详之，至其岁时琐事则略而不言，即一二言之，亦不致详细，盖恐其涉芜杂也，然土风民情于是可见，则其所关系亦自不小，岂可阙哉。古有采诗之政，以观民风，今无其政，又无其诗，在上之人何以周知天下风俗而移易之，然则纪其土风以备采择，亦古人贡诗之意也。顾君诗人也，其合而刻之意或在斯乎，故于土俗时趋推其来由，寻其沿习，慎而不漏，该而不侈，考证精确，纤悉无遗，然后土风可以观，民情可以知矣。是在上之人固所欲闻者也，若其广耳目而资学问，抑又馀波所及，而余辈受赐多矣。余私心窃谓填海为平地，缩地为一家，倘获亲接麈教，闻所未闻，不知当何如愉快也，怅矣心飞，无翼何致，徒付一浩叹耳。岂意君亦谬闻余虚名，壬辰五月扇头题诗及画托李少白以见寄示，且属题词于《清嘉录》，余才学谫劣，何能任之，然倾慕之久，又何可无一言题简端以结知缘。于是与二三子相谋，先将翻刻其书，更为叙行之，而余适婴大疾，濒死数矣，至今笔砚荒废，尘积者三四年，以故迁延度岁，不果其志，深以为恨。久居安原三平好学乐善，勇乎见义而为，一日慨然谓余曰，顾君之于先生可不谓相知乎，而吾亦妄承先生曲知久矣，若无知于知，何以相知之为，吾当为先生代刻之，庶几其不负相知哉。遂捐俸授梓，今兹丁酉七月校刻竣工，适又闻甲斐门人大森舜民亦将刻《颐素堂诗钞》，今与斯书合而行之，其传播之广且速亦如前日自西而东，海之内外无所不至，岂不愉快哉，然后乃知顾君必不以余为负相知，抑又二子之赐也。因序。

天保八年丁酉八月，江户后学朝川鼎撰。

［案］《颐素堂诗钞》六卷，我所有的一部是道光乙酉刻本，据前序则云刻于庚寅，岂五年后重刊耶。原本《清嘉录》似亦附诗钞后，但未能得到，日本重刊本曾于民国前数年在东京买到过，后复失去，今年五月又在北平隆福寺街得一部，有旧雨重逢之喜，今抄录其序文于此，以供参考焉。

（廿三年五月十五日记）

［又案］顷于琉璃厂得原刻《清嘉录》四册，内容与翻本无异，唯题辞多二纸，有日本大洼天吉等三人诗九首。大洼诗序云：

予读顾总之先生《清嘉录》，艳羡吴趋之胜，梦寐神游，不能忘于怀也。比先生书近作七首赠朝川善庵以求序，并征我辈题词，因和原韵，并编次录中事，臆料妄想，率成七首，梦中呓语，敢步后尘，聊博齿粲而已。

善庵盖即朝川鼎，题诗见寄据前序在壬辰五月，然则此题辞补刻自当更在其后矣。但日本刻本反没有这些诗，亦不知何故。

（六月十一日再记）

《五老小简》

《五老集》又名《五老小简》，不知系何人所编，我所有的一册是日本庆安三年（一六五〇）重刊本，正当清初顺治七年，原本或者是明人编选的罢。书凡二卷，共分五部，上卷之一为苏东坡，二为孙仲益，下卷之一为卢柳南，二为方秋崖，三为赵清旷，桂未谷跋《颜氏家藏尺牍》（今刻入《海山仙馆丛书》中）云："古人尺牍不入本集，李汉编昌黎集，刘禹锡编河东集，俱无之。自欧苏黄吕，以及方秋崖卢柳南赵清旷，始有专本。"方卢赵的尺牍专本惜未得见，今此书中选有一部分，窥豹一斑，亦是可喜，虽然时有误字，读下去如飞尘入目，觉得少少不快。

前年夏天买得明陈仁锡编的《尺牍奇赏》十四卷，曾题其端云："尺牍唯苏黄二公最佳，自然大雅。孙内简便不免有小家子气，馀更自郐而下矣。从王稚登吴从先下去，便自生出秋水轩一路，正是不足怪也。”这里，在孙与王吴之间，正好把卢方赵放进去，前后联成一气。我们从东坡说起，就《五老小简》中挑出一两篇为例，如与程正辅之一，谢赐餐云：

轼启，漂泊海上，一笑之乐固不易得，况义兼亲友如公之重者乎，但治具过厚，惭悚不已。经宿尊体佳胜，承即解舟，恨不克追饯。涉履甚厚重，早还为望。不宣。

又如与毛泽民，谢惠茶云：

轼启，寄示奇茗，极精而丰，南来未始得也。亦时复有山僧逸民，可与共赏，此外但缄而去之尔。佩荷厚意，永以为好。

随手写来，并不做作，而文情俱胜，正到恰好处，此是坡公擅场。孙仲益偶能得其妙趣，但是多修饰，便是毛病。如其贺孟少傅殿京口云：

伏闻制除出殿京口，长城隐然与大江为襟带，而刘玄德孙仲谋之遗迹犹在也。缓带之馀，持一觞以酹江月，无愧于古人矣。

此简在《内简尺牍》及《五老集》均在卷首，便取以为例。又与前人，谢惠茶云：

伏蒙眷记，存录故交，小团斋酿，遣骑驰贶，谨已下拜，便欲牵课小诗占谢，衰老废学，须小间作捻髭之态也。

前者典太多，近于虚文，后者捻髭之态大可不作，一作便有油滑气，虽然比起后人来还没有那么俗。现在再将卢方赵三公的小简抄出为例，各取其卷首的一篇，以免有故意挑剔之弊。卢柳南答人约观状元云：

圣天子策天下英豪而赐之官，为首选者既拜命，拥出丽正门，黄旗塞道，青衫被体，马蹄蹀躞，望灞头而去，观者云合，吁！亦荣矣。然子欲为观人者乎，欲为人所观者乎。若欲为人所观，则移其所以观人者观书。

方秋崖回惠海错云：

某以贫故食无鱼，以旱故羹无蔬，日煮涧泉，饭脱粟耳。海物惟错，半含苍潮，所谓眼中顿有两玉人也。

赵清旷贺人架楼云：

某兹审华楼经始，有烨其光，门下修五凤楼手段，规模自是宏阔，将见百尺告成，笑语在天上矣。

这几篇尺牍看去都很漂亮，实在是不大高明，其毛病是，总说一句，尺牍又变成古文了。尺牍向来不列入文章之内，虽然“书”是在内，所以一个人的尺牍常比“书”要写得好，因为这是随意抒写，不加造作，也没有畴范，一切都是自然流露。但是如上文所说，自欧苏以后尺牍有专本，也可以收入文集了，于是这也成为文章，写尺牍的人虽不把他与“书”混同，却也换了方法去写，结果成了一种新式古文，这就有点不行了。桐城派的人说做古文忌用尺牍语，却不知写尺牍也正忌做古文，因为二者正是针锋相对地不同。上边卢的一篇却是八大家手笔，或者可以说是王半山的一路罢？方赵则是六朝谢启之化骈为散者，颇适宜于枯窘及典制题，不过情趣索然，这正是副启又变做正启之故也。我们再举后来几家，这种情形更为明显，如《尺牍奇赏》中所选王百穀九日邀友人云：

> 空斋无一枝菊，大为五柳先生揶揄。但咏满城风雨近重阳，便昏昏欲睡，足下幸过我一破寂寥。

又送笔云：

> 惟此毛锥子，铦锋淬砺，一扫千军，知子闯钟王之门，得江淹之梦，谨令听役左右。

又吴从先借木屐云：

> 雨中兀坐，跬步难移，敢借木屐为半日之用，虽非赌墅之游，敢折东山之齿。

把这些与东坡去比，真觉得相去太远了。明季这群人中到底要算袁中郎最好，有东坡居士之风，归钱也有可取，不过是别一路，取其还实在罢了。

［附记］《茶香室四钞》卷十有《宋人小简》一则，

引宋朱弁《曲洧旧闻》云：

旧说欧阳公虽作一二十[1]字小简亦必属稿，然明白平易，若未尝经意者，东坡大抵相类，至黄鲁直始专集取古人才语以叙事，士大夫翕然从之，亦一时所尚而已。方古文未行时，虽小简亦多用四六，而世所传宋景文《刀笔集》务为奇险，至或作三字韵语，近世盖未之见。予在馆中时盛暑，傅崧卿给事以冰馈同舍，其简云："蓬莱道山，群仙所游，清异人境，不风自凉，火云腾空，莫之能炎，饷之冰雪，是谓附益。"读者莫解，或曰，此《灵棋经》耶？一坐大笑。

明谢肇淛《五杂组》卷十四云：

近时文人墨客，有以浅近之情事而敷以深远之华，以寒暄之套习而饰以绮绘之语，甚者词藻胜而谆切之谊反微，刻画多而往复之意弥远。此在笔端游戏，偶一为之可也，而动成卷帙，其丽不亿，始读之若可喜，而十篇以上稍不耐观，百篇以上无不呕哕矣。而啖名俗子裒然千金享之，吾不知其解也。

此盖对王百穀等人而发，所说亦颇平允。

（廿三年三月）

【鄢校】

①原无"十"字，据《南窗纪谈》补。

《花镜》

小时候见过的书有些留下很深的印象，到后来还时常记起，有时千方百计的想找到一本来放在书架上，虽然未必是真是要用的书。或者这与初恋的心境有点相像罢？但是这却不能引去作为文艺宣传的例，因为我在书房里念了多年的经书一点都没有影响，而这些闲书本来就别无教训，有的还只是图画而非文字，它所给我的大约单是对于某事物的一种兴趣罢了。假如把这也算作宣传，那么也没有什么不可，天地万物无不有所表示，即有所宣传也，不过这原是题外闲文，反正都没有多大的关系。

我所记得的书顶早的是一部《毛诗品物图考》。大抵是甲午年我正在读"上中"的时候，在亲戚家里看见两本石印小板的《图考》，现在想起来该是积山书局印的，觉得很是喜欢，里边的图差不多一张张的都看得熟了。事隔多年之后遇见这书总就想要买，可是印刷难得好的，去年冬天才从东京买得一部可以算是原刻初印，前后已相去四十年了。这是日本天明四年（一七八四）所刊，著者冈元凤，原是医师，于本草之学素有研究，图画雕刻亦甚工致，似较徐鼎的《毛诗名物图说》为胜。《图说》刻于乾隆辛卯（一七七一），序中自称“凡钓叟村农，樵夫猎户，下至舆台皂隶，有所闻必加试验而后图写”，然其成绩殊不能相副，图不工而说亦陈旧，多存离奇的传说，此殆因经师之不及医师欤。同样的情形则有陈大章的《诗传名物集览》，康熙癸巳（一七一三）刊，与江村如圭的《诗经名物辨解》，书七卷，刊于享保十五年（一七三〇），即清雍正八年也，江村亦业医，所说也比《集览》更简要。《毛诗名物图说》日本文化五年（一八〇八）有翻刻本，丹波元简有序，亦医官也。

其次是陆氏《毛诗草木鸟兽虫鱼疏》[1]，在族人琴逸公那里初次见到，是一册写刻甚精的白纸印本，三十多年来随处留意却总没有找着这样的一本书。现在所有的就是[2]这些普通本子，如明毛晋的《广要》，清赵佑的《校正》，焦循的《陆疏疏》，丁晏的《校正》，以及罗振玉的《新校正》。丁罗的征引较详备，但据我外行的私见看来却最喜欢焦氏的编法，各条校证列注书名，次序悉照《诗经》先后，似更有条理。罗本最后出，却似未参考赵焦诸本，用那德国花字似的仿宋聚珍板所印，也觉得看了眼睛不大舒服，其实这也何妨照那《眼学偶得》或《读碑小笺》的样子刻一下子，那就要好得多了。日本渊在宽有《陆疏图解》四卷附一卷，安永八年（一七七九）所刻，大抵根据《广要》毛氏说作为图像，每一页四图，不及《名物图考》之精也。

末后所想说的是平常不见经传的书，即西湖花隐翁的《秘传花镜》。《花镜》六卷，有康熙戊辰（一六八八）序，陈淏子著，题叶又称陈扶摇，当系其字。其内容，卷一花历新裁，凡十二月，每月分占验事宜两项；卷二课花十八法，附花间日课，花园款设，花园自供三篇；卷三花木类考；卷四藤蔓类考；卷五花草类考；卷六禽兽鳞虫考附焉。讲起《花镜》自然令人想到湖上笠翁的《闲情偶寄》，其卷五种植部共五分七十则，文字思想均极清新，如竹柳诸篇都是很可喜的小品，其馀的读下去也总必有一二妙语散见篇中，可以解颐。这是关于花木的小论文，有对于自然与人事的巧妙的观察，有平明而新颖的表现，少年读之可以医治作文之笨，正如竹之医俗，虽然过量的服了也要成油滑的病症。至于《花镜》，文章也并不坏，如自序就写得颇有风致，其态度意趣大约因为时地的关系罢，与李笠翁也颇相像，但是这是另外一种书，勉强的举一个比喻，可以说是《齐民要术》之流罢？本来也可说是《本草纲目》之流，不过此乃讲园圃的，所以还以农家为近。他不像经学家的考名物，专坐在书斋里翻书，征引了一大堆到底仍旧不知道原物是什么，他把这些木本藤本草本的东西一一加以考察，疏状其形色，说明其喜恶宜忌，指点培植之法，我们读了未必足为写文字的帮助，但是会得种花木，他给我们以对于自然的爱好。我从十二三岁时见到《花镜》，到现在还很喜欢他，去年买了一部原刻本，虽然是极平常的书，我却很珍重他不下于现今所宝贵的明版禁书，因为这是我老朋友之一。我从这里认识了许多草本，都是极平常，在乡间极容易遇见，但是不登大雅之堂，在花园里便没有位置，在书史中也不被提及的。例如淡竹叶与紫花地丁，射干即胡蝶花，山踯躅即映山红，虎耳草即天荷叶，平地木即老勿大。这里想起昔时上祖坟的事，春天采映山红，冬天拔取老勿大，前几时检阅旧日记找出来的一节纪事可以抄在这里，时光绪己亥（一八九九）十月十六日也。

午至乌石墓所，拔老勿大约三四十株。此越

中俗名也，即平地木，以其不长故名。高仅二三寸，叶如栗，子鲜红可爱，过冬不凋，乌石极多，他处亦有之。性喜阴，不宜肥，种之墙阴背日处则明岁极茂，或天竹下亦佳，须不见日而有雨露处为妙。

这个记载显然受着《花镜》的影响，山头拔老勿大与田间拔“草紫”（即紫云英）原是上坟的常习，因为贪得总是人情，但拿了回来草紫的花玩过固然也就丢了，嫩叶也瀹食了，老勿大仍在盆里种得好好的，明年还要多结许多子，有五六个一串的，比在山时还要茂盛，而且琐琐的记述其习性，却是不佞所独，而与不读《花镜》的族人不相同者也。《花镜》卷三记平地木，寥寥数行，却亦有致：

平地木高不盈尺，叶似桂，深绿色，夏初开粉红细花，结实似南天竹子，至冬大红，子下缀可观。其托根多在瓯兰之傍，虎茨之下，及岩壑幽深处。二三月分栽，乃点缀盆景必需之物也。

即以此文论，何遽不及《南方草木状》或《北户录》耶？

我初次见《花镜》是在一位族兄那里，后来承他以二百文卖给我，现在书已遗失，想起来是另一版本，与我所有者不同。他是一斋公的曾孙，杜煦序茹敦和《越言释》云：

> 周君一斋读而悦之，缩为巾箱本重梓单行，俾越人易于家置一编。

惜此本不可得，现在常见者也只有啸园重翻本罢了。章实斋《文史通义》版旧亦藏于其家，后由谭复堂斡旋移至杭州官书局，修补重印行世（见《复堂日记》），而李莼客《日记》中谓周某拟以章板刨去改刻时文，既于事实不合，且并缺乏常识矣。常闻有锯分石碑之传说，李君殆从这里想像出来的吧？

（廿三年三月）

【锺校】

①“陆氏《毛诗草木鸟兽虫鱼疏》”原作“毛诗陆氏草木鸟兽虫鱼疏”。

②“是”原作“有”。

《塞耳彭自然史》

《塞耳彭自然史》——这个名称一看有点生硬，仿佛是乡土志里讲博物的一部分，虽然或者写得明细，可以多识鸟兽草木之名，总之未必是文艺部类的佳作罢。然而不然。我们如写出他的原名来，*The Natural History of Selborne*，再加上著者的姓名 Gilbert White，大家就立刻明白，这是十八世纪英国文学中的一异彩，出版一百五十年来流传不绝，收入各种丛书中，老老小小爱读不厌。这是一小册子，用的是尺牍体，所说的却是草木虫鱼，这在我觉得是很有兴味的事。英国戈斯（Edmund Gosse）所著《十八世纪文学史》第九章中有一节讲这书及其著者，文云：

> 自吉耳柏特怀德（Gilbert White，1720—1793）的不朽的《塞耳彭自然史》出现后，世上遂有此一类愉快的书籍发生，此书刊行于一七八九年，实乃其一生结集的成绩。怀德初同华顿一

道[①]在巴辛斯托克受业，后乃升入奥斯福之阿里厄耳学院，在一七四七年受圣职，一七五一年顷即被任为塞耳彭副牧师，此系罕布什尔地方一个多林木的美丽的教区，怀德即生于此地。次年他回到阿里厄耳，在学校内任监院之职，但至一七五五年回塞耳彭去，以后终身住在那里，一七五八年任为牧师。他谢绝了好几次的牧师职务，俾得留在他所爱的故乡，只受了一两回学院赠予的副牧师职，因为他可以当作闲职管领。怀德很爱过穆耳索女士，后来大家所知道的却滂夫人者即是，她却拒绝了他的请求，他也就不再去求别人了。他与那时活跃的两个博物家通信，一云本南德（Thomas Pennant），一云巴林顿（Daines Barrington），他的观察对于此二人盖都非常有用。一七六七年怀德起首写他的故乡的自然史，到一七七一年我们才看出他略有刊行之意，三年以后他说起或可成功的小册。但是因为种种的顾虑与小心之故，他的计划久被阻碍，直至一七八九年春天那美丽的四开本才离开印字人的手而出现于世。这书的形式是以写给友人的信集成的，还有较短的第二分，用另外的题页，也同样的方法来讲塞耳彭的古物。其第一分却最为世人所欢迎，在有百十册讲英国各地自然史的书出现之后，怀德的书仍旧保存着他那不变的姿媚与最初的新鲜。这是十八世纪所留给我们的最愉快的遗产之一。在每一页上总有些独得的观察使我们注意：

鹭鸶身子很轻，却有那大翅膀，似乎有点不方便，但那大而空的翼实在却是必要，在带着重荷的时候，如大鱼及其他。鸽子，特别是那一种叫作拍翼的，常把两翼在背上相击，拍拍有声，又一种叫作斤斗的，在空中翻转。有些鸟类在交尾期有特别的动作，如斑鸠在别的时候虽然飞得强而快，在春天却摊着翼像是游戏似的。雄的翠鸟生育期间忘记了他从前的[②]飞法，像鹞子那样在空中老扇着翅膀。金雀特别显出困倦飞不动的神气，看了像是受伤的或是垂死的鸟。鱼狗直飞好像一支箭，怪鸱黄昏中在树顶闪过，正如一颗流星，白头翁像是游泳着，画眉则乱七八糟的飞。燕子在地面水面上掠着飞，又很快的拐弯打圈，显他的本领。雨燕团团的急转，岩燕常常的左右动摇，有如一只胡蝶。许多小鸟都一抖一抖的飞，一上一下的向前进。（案此系与巴林顿第四十二书中的一部分。）

怀德无意于作文，而其文章精密生动，美妙

如画，世间殆少有小说家，能够保持读者的兴味如此成功也。

戈斯著书在一八八八年，关于怀德生平的事实不无小误，如任牧师一事今已知非真，不过在本乡有时代理副牧师之职则是实在耳。戈斯的批评眼乃了无问题，至今论者仍不能出其范围，一九二八年琼孙（Walter Johnson）新著评传云，“吉耳柏特怀德，先驱，诗人与文章家”，大旨亦复如是，唯其中间论动植各章自更有所发明。赫特孙（W. H. Hudson，旧曾译作合信）在文集《鸟与人》（*Birds and Man*）中有一篇《塞耳彭》，记一八九六年访此教区事，末尾说明《自然史》的特色云：

> 文体优美而清明。但一本书并不能生存，单因为写得好。这里塞满着事实。但事实都被试过筛过了，所有值得保留的已全被收进到若干种自然史的标准著作里去了。我想很谦卑地提议，在这里毫无一点神秘，著者的个性乃是这些尺牍的主要的妙处，因为他虽是很谦逊极静默，他的精神却在每页上都照耀着。那世间所以不肯让这小书死灭的缘故，不单是因为他小，写得好，充满着有趣味的事情，主要的还是因为此乃一种很有意思的人生文献（Human document）也。

同文中又有两节可以引用在这里：

假如怀德不曾存在，或者不曾与本南德及巴林顿通信，塞耳彭在我看来还是一个很愉快的村子，位置在多变化而美丽的景色中间，我要长久记忆着他，算作我在英国南部漫游中所遇到的最佳妙的地方之一。但是我现在却不绝的想念着怀德。那村子本身，四周景色的种种相，种种事物有生或无生的，种种音声，在我的心里都与那想念相联结，我想那默默无闻的乡村副牧师，他是毫无野心的，是一个沉静安详的人，没有恶意，不，一点都没有，如他的一个教区民所说。在那里，在塞耳彭，把那古派的老人喀耳沛伯（Nicholas Culpepper）的一句诗略改变其意义，正是——他的影像是捺印在各株草上。

带了一种新的深切的兴趣我看那些雨燕在空中飞翔，听他们尖利的叫声。这统是一样，在那一切的鸟，就是那些最普通的，那知更鸟，山雀，岩燕，以及麻雀。傍晚时候我很久的站着不动，用心看着一小群的金雀，停在榛树篱上将要栖宿了。因为我在那里，他们时时惊动，飞到顶高的小枝上去，他们在上边映着浅琥珀色的天空看去几乎变成黑色了，发出他们拉长的金丝雀似的惊惶的叫声。这还是一种美妙柔和的音调，现今却加多了一点东西在里边，——从远的过去里来的东西——对于一个人的想念，他的记忆是与活的形状和音声交织在一起的。

这个感情的力量与执着有了一种奇异的效果。这使我渐渐觉得，在一百多年前早已不在了的那人，他的尺牍集曾为几代的博物家的爱读书，虽然已经死了去了，却是仿佛有点神秘地还是活着。我花费了许多工夫，在墓地的细长的草里摸索，想搜出一种纪念物来，这个后来找到了，乃是一块不很大的墓石。我须得跪了下去，把那一半遮着墓石的细草分开，好像我们看小孩的脸的时候拂开他额上的乱发。在石上刻着姓名的头字，下面一行云一七九三，是他死去的年分。

赫特孙自己也是个文人兼博物学家，所以对于怀德的了解要比别人较深，他大约像及弗利思（Richard Jefferies），略有点神秘的倾向，这篇塞耳彭游记写得多倾于瞑想的，在这点上与怀德的文章却很是不相同了。

《塞耳彭自然史》的印本很多，好的要值一几尼以至三镑，我都没有能买到，现在所有的只是“司各得丛书”，“万人丛书”，“奥斯福的世界名著”各本，大抵只有本文或加上一篇简单的引言而已。近来新得亚伦（Grant Allen）编订本小注颇多，又有纽氏插图百八十幅，为大本中最可喜的一册。亚伦亦是生物学者，又曾居塞耳彭村，熟知其地之自然者也。伍特华德（Marcus Woodward）编少年少女用本，本文稍改简略，而说明极多，甚便幼学，中国惜无此种书。李慈铭《灯下读〈尔雅〉偶题》三绝句之一云：

理学须从识字成，学僮遗法在西京。

何当南戒栽花暇，细校虫鱼过一生。

末二句的意境尚佳，可是目的在于说经便是大误，至于讲风雅还在其次，若对于这事物有兴趣，能客观的去观察者，已绝无仅有了。郝兰皋或可以算是一个，在他与孙渊如的信里说，“少爱山泽，流观鱼鸟，旁涉夭条，靡不覃研钻极，积岁经年，故尝自谓《尔雅》下卷之疏几欲追踪元恪”，确非过言，只可惜他的《记海错》与《蜂衙》《燕子》诸篇仍不免文胜，持与怀德相比终觉有间耳。

《自然史》二卷，计与本南德书四十四，与巴林顿书六十六，共一百十通，后来编者或依年月次第合为一卷，似反凌乱不便于读，不及二卷本善也。卷首有书数通，叙村中地理等，似皆后来补作，当初通信时本无成书计划，随意纪述，后始加以整理，但增补的信文词终缺自然之趣，与其他稍不同。书中所说虽以生物为主，却亦涉及他事，如地质气候风俗，其写村中制造苇烛及[3]迫希流人诸篇均有名。生物中又以鸟类为主，兽及虫鱼草木次之，这些事情读了都有趣味，但我个人所喜的还是在昆虫，而其中尤以讲田蟋蟀即油胡卢，家蟋蟀，土拨鼠蟋蟀即蝼蛄的三篇为佳，即下卷第四六至四八也。琼孙在所著《怀德评传》第七章中说：

> 在《自然史》中我们看见三篇美妙的小论文，虽然原来只是三章书，这是讲蟋蟀的三种的，即油胡卢，蛐蛐，蝼蛄是也。要单独的引用几段，这有如拿一块砖头来当作房屋的样本。一句巧妙的话却须得抄引一下。炉边的蟋蟀说是主妇的风雨表，会预告下雨的时候（巴林顿四七）。怀德的方法，用了去检视钻洞的虫而不毁坏他的住屋，这就是现代昆虫学家所用方法的前驱。一根软的草茎轻轻地通到洞里去，便能顺着弯曲一直到底，把里边住着的赶出来，这样那仁慈的研究者可以满足了他的好奇心而不伤害那目的物（同四六）。

蝼蛄的故事对于有些博物学家特别有用，他们像鄙人一样都不曾见过一个活的标本。罕布什尔还是顶运气的地方，离开那里人就少有遇见这虫子的希望。但是因为不知什么缘故，就是在罕布什尔现在蝼蛄也很少了，派克拉夫德在一九二六年曾经说过他想得这标本是多么困难。可是怀德却列举了三个土名，说是行于国内各地的，曰泥塘蟋蟀，啾啾虫，晚啾。这些俗名大抵似与他的飞声有关，既然各处有此名称，那么似乎证明从前蝼蛄分布颇广了。

这样说来，我的计划很受了影响，原来我想介绍那蟋蟀三章的，但是现在全译既不可能，节译又只是搬出一块砖头来代表房子，只好罢休。那么还是另外找罢。关于苍蝇臧螂等的小文也都有意思，可是末了我还是选中了这篇《蜗牛与蛞蝓》，别无什么理由，不过因为较短罢了。这本是怀德日记的一部分，一八〇二年马克微克（W. Markwick）编选为一卷，名曰《关于自然各部之观察》，内分鸟兽虫豸植物气象五部，附在《自然史》后面，以后各本多仍之，或称之曰《杂观察》。其文云：

无壳的蜗牛叫做蛞蝓的，在冬季气候稍温和的日子便出来活动，对于园中植物大加损伤，青麦亦大受害，这平常总说是蚯蚓所做的。其有壳的蜗牛，即所谓带屋的（Phereoikos），则非到四月十日左右不出来，他不但一到秋天便老早的隐藏到没有寒气的地方去，还用了唾沫做成一层厚盖挡住他的壳口，所以他是很安全的封了起来，可以抵当一切酷烈的天气了。蛞蝓比起蜗牛来很能忍耐寒冷，这原因盖由于蛞蝓身上有那黏涎，正如鲸鱼之有脂肪包着。

蜗牛大约在中夏交尾，以后把头和身子都钻到地下去产卵。所以除灭的方法是在生殖以前把他弄死愈多愈好。

大而灰色的无壳的地窖蜗牛，与那在外边的蜗牛同时候隐藏起来，因此可以知道，温度的减少并不是使他们蛰居的唯一原因。

（廿三年四月）

［附记］关于怀德与其《自然史》，李广田君有一文，登在三月十七日天津《大公报》的《文艺周刊》第五十号上，可以参照。

“带屋的”是希腊人称蜗牛的名字，又亦以称乌龟，怀德讲龟的那篇文中曾说及。

【锺校】

①“道”原作“家”。

②原无“的”字，今增。

③此处原衍“及”字，已删。

《颜氏家训》

南北朝人的有些著作我颇喜欢。这所说的不是一篇篇的文章，原来只是史或子书，例如《世说新语》《华阳国志》《水经注》《洛阳伽蓝记》，以及《颜氏家训》。其中特别又是《颜氏家训》最为我所珍重，因为这在文章以外还有作者的思想与态度都很可佩服。通行本二卷，我所有的有明颜嗣慎、吴惟明、郝之璧、程荣、黄嘉惠各刊本，清朱轼刊本，《四部丛刊》景印明冷宗元刊本，别有七卷本系从宋沈氏本出，今有知不足斋刊本，抱经堂注本，近年渭南严氏重刻本及石印本。注本最便读者，今有石印本尤易得。严氏将卢本补遗重校等散入各条注中，其意甚善，惜有误脱，不能比石印本更好也。

据《四库书目提要》说，《颜氏家训》在唐志宋志里都列在儒家："然其中《归心》等篇深明因果，不出当时好佛之习，又兼论字画音训，并考正典故，品第文艺，曼衍旁涉，不专为一家之言。今特退之杂家，从其类焉。”这种升降在现在看来本无关系，而且实在这也不该列入儒家，因为他的思想比有些道学家要宽大得多，或者这就是所谓杂也未可知，但总之是不窄，就是人情味之所在，我觉得兼好法师之可喜者也就在此。卢召弓序云：

> 呜呼，无用之言，不急之辩，君子所弗贵。若夫六经尚矣，而委曲近情，纤悉周备，立身之要，处世之宜，为学之方，盖莫善于是书。人有意于训俗型家者，又何庸舍是而叠床架屋为哉。

对于《颜氏家训》的批评，此言可谓最简要得中。《提要》云：“今观其书，大抵于世故人情深明利害，而能文之以经训。”经训与否暂且不管，所谓世故人情也还说得对，因为这书的好处大半就在那里。直斋称为古今家训之祖，但试问有哪个孙子及得他来，如明霍渭崖的《家训》简直是胡说一起，两相比较可知其优劣悬殊矣。

六朝大家知道是乱世，颜君由梁入北齐，再入北周，其所作《观我生赋》云：“予一生而三化，备荼苦而蓼辛。”注谓已三为亡国之人，但是不二三年而又入隋，此盖已在作赋之后欤。积其一身数十年患难之经验，成此二十篇书以为子孙后车，其要旨不外慎言检迹，正是当然，易言之即苟全性命于乱世之意也。但是这也何足为病呢，别人的书所说无非也只是怎样苟全性命于治世而已，近来有识者高唱学问易主赶快投降，似乎也是这一路的意思罢。不过颜君是古时人，说的没有那么直截，还要蕴藉一点，也就消极得多了，这却是很大的不同。《教子》篇中末一则云：

齐朝有一士大夫尝谓吾曰，我有一儿，年已十七，颇晓书疏，教其鲜卑语及弹琵琶，稍欲通解，以此伏事公卿，无不宠爱，亦要事也。吾时俯而不答。异哉此人之教子也，若由此业自致卿相，亦不愿汝曹为之。

此事传诵已久，不但意思佳，文字亦至可喜，其自然大雅处或反比韩柳为胜。其次二则均在《风操》篇中，一云：

别易会难，古人所重，江南饯送，下泣言离。有王子侯梁武帝弟出为东郡，与武帝别。帝曰，我年已老，与汝分张，甚以恻怆。数行泪下。侯遂密云，赧然而出。坐此被责，飘飖舟渚，一百许日，卒不得去。北间风俗不屑此事，歧路言离，欢笑分首。然人性自有少涕泪者，肠虽欲绝，目犹烂然，如此之人不可强责。

卢注云："以不雨泣为密云，止可施于小说，若行文则不可用之，适成鄙俗耳。”我想这亦未必尽然，据注引《语林》中谢公事，大约在六朝这是一句通行俗语，所以用入，虽稍觉古怪，似还不至鄙俗，盖全篇的空气均素雅也。又一云：

偏傍之书，死有归杀，子孙逃窜，莫肯在家，画瓦书符，作诸厌胜。丧出之日，门前然火，户外列灰，祓送家鬼，章断注连。凡如此比，不近有情，乃儒雅之罪人，弹议所当加也。

这两则都可以见颜君的识见，宽严得中，而文词温润与情调相副，极不易得。文中“章断注连”，卢本无注。查日本顺源在承平年中（九三一至七年）所编《倭名类聚抄》，调度部十四祭祀具七十下云注连，引云注连章断，注云师说注连之梨久倍奈波，章断之度太智。案之梨久倍奈波，日本古书写作端出之绳，《和汉三才图会》（原汉文）十九云：“神前及门户引张之，以辟不洁，其绳用稻藁，每八寸许而出本端，数七五三茎，左绹之，故名。”之度太智者意云断后，此语少见，今大抵训为注连同谊。此种草绳，古时或以圈围地域，遮止侵入，今在宗教仪式上尚保存其意义，悬于神社以防亵渎，新年施诸人家入口，则以辟邪鬼也。《家训》意谓送鬼出门，悬绳于外，阻其复返，大旨已可明白，至于章断注连字义如何解释，则尚未能确说耳。又《文章》篇中云：

王籍《入若耶溪》诗云，蝉噪林逾静，鸟鸣山更幽。江南以为文外独绝，物无异议，简文吟咏，不能忘之，孝元讽味，以为不可复得，至怀旧志，载于籍传。范阳卢询祖邺下才俊，乃言此不成语，何事于能，魏收亦然其论。《诗》云，萧萧马鸣，悠悠旆旌，《毛传》云，言不喧哗也。吾每叹此解有情致，籍诗生于此意耳。

此是很古的诗话之一，可谓要言不烦，抑又何其“有情致”耶。后来作者卷册益多，言辞愈富，而妙悟更不易得，岂真今不如古，亦因人情物理难能会解，故不免常有所蔽也。

颜之推是信奉佛教的，其《养生》《归心》两篇即说此理，《四库书目提要》把这原因归之于当时风习，虽然原来意思亦是轻佛重儒，不过也还说得漂亮。朱轼重刊《家训》，加以评点，序文乃云：

始吾读颜侍郎家训，窃意侍郎复圣裔，于非礼勿视听言动之义庶有合，可为后世训矣，岂惟颜氏宝之已哉。及览《养生》《归心》等篇，又怪二氏树吾道敌，方攻之不暇，而附会之，侍郎实忝厥祖，欲以垂训可乎。

他自己所以“逐一评校，以涤瑕著微”，其志甚佳，可是实行不大容易。如原文云，“明非尧舜周孔所及也”，便批云，“忽出悖语，可惜可惜”，不知好在何处，由我看去，岂非以百步笑五十步乎？且即就上述序文而言，文字意思都如此火气过重，拿去与《家训》中任何篇比较，优劣可知，只凭二氏树吾道敌这种意见，以笔削自任，正是人苦不自知也。我平常不喜欢以名教圣道压人的言论，如李慈铭的《越中先贤祠目》中序例八云：“王仲任为越士首出，《论衡》一书，千古谈助，而其立名有违名教，故不与。”这就是一例，不妨以俞理初所谓可憎一词加之。《国风》三卷十二期载有《醉馀随笔》一卷，系洪允祥先生遗著，其中一则云：

> 韩柳并称而柳较精博，一辟佛，一知佛之不可辟也。李杜并称而李较空明，一每饭不忘君，一则篇篇说妇人与酒也，妇人与酒之为好诗料，胜所谓君者多矣。

这却说得很有趣，李杜的比较我很赞同，虽然我个人不大喜欢豪放的诗文，对于太白少有亲近之感。柳较精博或者未必，但胜韩总是不错的，因为他不讲那些圣道，不卫道故不辟佛耳。洪先生是学佛的，故如此立言，虽有小偏，正如颜君一样亦是人情所难免，与右倾的道学家之咆哮故自不同。

《家训》末后《终制》一篇是古今难得的好文章，看彻生死，故其意思平实，而文词亦简要和易，其无甚新奇处正是最不可及处，陶渊明的《自祭文》与《拟挽歌辞》可与相比，或高旷过之。陶公无论矣，颜君或居其次，然而第三人却难找得出了。篇中有云：

> 四时祭祀，周孔所教，欲人勿死其亲，不忘孝道也。求诸内典，则无益焉，杀生为之，翻增罪累。若报罔极之德，霜露之悲，有时斋供，及尽忠信，不辱其亲，所望于汝也。

朱轼于旁边大打其杠子，又批云："语及内典，便入邪慝。"此处我们也用不着再批，只须把两者对比了看，自然便知。我买这朱批本差不多全为了那批语，因为这可以代表道学派的看法，至于要读《家训》还是以抱经堂本为最便利，石印亦佳，只可惜有些小字也描过，以致有误耳。

（廿三年四月）

《甲行日注》

《甲行日注》八卷，署名木拂纂，原刻在《荆驼逸史》内，民国二年刘承幹重刊，即《叶天寥年谱》下半部。天寥为明末江南名士，夫妇子女皆能文，三女小鸾早死最有名，全家著作合为《午梦堂集》十种，叶德辉有重刊本，又辑刻关于小鸾的文献为《疏香阁遗录》四卷，颇便读者。天寥自著《年谱》二卷，明亡以后隐于佛门，别为日记即《甲行日注》，起乙酉（一六四五）八月，迄戊子九月，凡三年馀。《午梦堂集》和《年谱》我都读过一遍，但最喜欢的还是这部日记，因为到了甲申他已是五十六岁，从前经过了好些恩爱的苦难，现在却又遇着真是天翻地覆的大变动，他受了这番锻[①]炼，除去不少的杂质与火气，所表现出来的情意自然更为纯粹了，虽然情形稍有不同，我觉得黄山谷的《宜州家乘》在这里似乎可以相比。《甲行日注》里所记的是明遗民的生活，所以第一显著的当然是黍离麦秀的感慨，而这里又特别加上种族问题，更觉得痛切了。如《日注》卷一记乙酉九月事云：

> 十七日乙丑，晴暖。宁初又来，云田园尚犹如故，室庐亦幸偷存，故乡风景则半似辽阳以东矣，但村人未吹芦管耳。

又卷六丁亥十二月云：

> 初九日乙亥，晴。晚间枯林戢响，斜月皎幽，东窗对影，一樽黯绝。颜子之乐自在箪瓢，予不堪忧者，家国殄瘁，岂能忘心。李陵所云，胡笳互动，边声四起，独坐听之，不觉泪下。

又卷一乙酉十二月云：

> 三十日戊申，一盏黄昏，含愁卒岁。国破家亡，衣冠扫地，故国极目，楸陇无依。行年五十馀七，同刘彦和慧地之称，萧然僧舍，长明灯作守岁烛，亦可叹也。

民国癸丑五月刻本刘氏跋中乃云：

> 闻落叶而悲吟，听胡笳而不寐，拊心暗泣，举目皆非，地何愁而不埋，天胡为而此醉。回忆故园松竹，老屋琴书，未卜何日，重臻清境。人生罹亡国之惨者，类如是也。

为天寥道人咏叹身世，本自不妨，但若“我田引水”，以同调自居，则大可笑，盖清朝“遗老”与明遗民其境况品格迥乎不同，决不可同日而语也。

日记中纪录当时乱离情状亦多可取。苏州不战而降，没有多大杀戮，但即其零星纷扰也含有重大意义，盖在这里可以看出民族的老病来。卷一乙酉十二月云：

初二日庚辰，晴。过临平，零雨濛飞，寒峰隐翠。遇虏运柴，舟人不解事，近之，我舟遂为所夺。非真虏也，即罗木营兵耳，放肆无忌。

又卷二丙戌二月云：

二十七日甲辰，细雨大风。时义兵飙起，皆闾左陇上耕佣，聚千人至我族索饷，不得则一炬焚之。……各予钱米乃止。时队伍未整，虏下索则又鸟鼠散，而平民罹之。

又四月云：

十六日壬辰，晴。义师去，忽安庄虏来，突入将书厨悉毁，简帙抛零满地，《午梦堂集》板碎以供爨，愤余家贫而无物以逞恨也。人有识者，云半是山左诸公家丁所降，我德施而怨报矣。

《续年谱》记乙酉闰六月事云：

廿七日，山左宋玉仲玉叔王敬哉谢德修左萝

石夫人挈家避难来投，家丁骁勇善弓马。……余为桑梓保障计，分宅居之，族中亦相率授屋，各为居停。

前后相去，盖才十月也。

陈老莲出家号悔迟，丙戌年有《避难诗》一卷，现刻入《宝纶堂集》中，其《作饭行》序云：

山中日波波三顿，鬻图画之指腕为痛焉，儿子犹悲思一顿饭，悲声时出户庭，予闻之凄然，若为不闻也者。商绸思闻之，以米见饷，此毋望之福也，犹不与儿子共享毋望之福哉，乃作一顿饭，儿子便欢喜踊跃，歌声亦时出户庭。今小民苦官兵淫杀有日矣，犹不感半古之事功否。感赋。

诗末节云：

鲁国越官吏，江上逍遥师，
避敌甚畏虎，篦民若养狸。
时日曷丧语，声闻于天知，
民情即天意，兵来皆安之。

差不多是同时候的事，可见江浙情形大略相似也。日记中尚有记当时士夫献媚事者，卷二丙戌十一月云：

二十八日庚午，晴。侄孙学山来言吾邑宴虏令之盛，笾豆肴核费至三十馀金，倍席赍从，伶人乐伎，华灯旨酒，俱不在内也。不知虞悰《食疏》中所载何物，耗金钱乃尔。国破民痍之日，为此滥觞，贡媚腽肭。

又八月中记一事，则寄孤愤于谐趣也：

初二日乙亥，晴。佺往市墟。夜有穿窬，予曰，日来大盗聚党，白昼探丸，此犹昏夜胠发，何其行古之道欤？恨不如王彦方遗以布耳。

日记叙述隐居生活颇为详尽，今抄录数节，可以见其困穷与闲适之趣。卷一乙酉十二月云：

初七日乙酉，晴。夜金五云持酒一坛大蟹六只至。六人各食一蟹，馀已无他，亦自不俗也。

卷三丙戌十月云：

初六日戊寅，晴大风。……抵暮侍儿以烧栗十枚烘豆一握遗予下酒，置几上去，而樵妪瓶油已罄，无可举灯，点火于枯竹片授予，予左手执竹片，右将倾壶，火忽灭，犹幸馀光未及暗尽，倚短窗下嚼四栗饮三瓯，暗中扪床而寝。

卷五丁亥三月云：

二十八日己巳，午晴。张婿迩求来，家止一臃[②]肿仆，出外借米，厨无庋架，不能尽主人情，怅然送别。

小鸾字张氏，未嫁而卒，迩求仍执子婿礼甚恭，日记中曾称道之。又卷二丙戌二月云：

初十日丁巳，晴。初闻黄鹂声，犹忆离家日听雁声也。物换星移，动人感深矣。

卷三同年十月云：

二十八日庚子，阴风冷。茫茫烟景，催流短景。

文词华丽，意思亦不外流连景光，但出在遗民口中，我们也就觉得他别有一种感慨，不能与寻常等视。如卷六丁亥七月云：

十七日丙辰，晴风。夜中偶起，似可三更时分也。洑流薄岸，颓萝压波，白月挂天，苹风隐树。四顾无声，遥村吠犬，鱼棹泼剌，萤火乱飞，极夜景之幽趣矣。

清言俪语，陆续而出，良由文人积习，无可如何，正如张宗子所说，虽劫火猛烈犹烧之不失也。

（廿三年五月）

【鄢校】

①“锻”原作“煅”。

②“臃”原作“拥”。

《男化女》[①]

四月二十八日天津《大公报》载伦敦通信云：

> 英伦法艾福地方煤矿经理乔治胡琪森有二女一子，其一女名玛格蕾特者现年方十五，肄业某校，近忽患病，经医生治疗，一月之后竟变为男子。近年来欧洲男女突变之事，可谓无独有偶。最著名者为丹麦之艺术家韦格纳（Einar Wegener），渠年二十岁时乃一健全之伟丈夫，数年之后彼自觉渐类女性，四十岁后经过若干次手术，居然变为女子，丹麦之王宣布其结婚无效，新颁一女子执照与彼，此名艺术家现已改名为莉莉艾尔伯（Lili Elbe）矣。

这些事在中国也是古已有之，大抵与彗星出现等同收入《五行志》里，当作某事的一种征兆。《本草纲目》卷五十二人部在人傀项下谈到这类现象曰：

> 男生而覆，女生而仰，溺水亦然，阴阳秉

赋，一定不移，常理也，而有男化女女化男者何也？岂乖气致妖，而变乱反常耶？《京房易占》云，男化为女，宫刑滥也，女化为男，妇政行也。《春秋潜潭巴》云，男化女，贤人去位，女化男，贱人为王。此虽以人事言，而其脏腑经络变易之微，不可测也。

李时珍到底是医师，虽然引了些道士派的怪话，却仍归结到生理方面，觉得其变易不可测，便因为相信秉赋是一定不移的。蔼理斯在《性的心理》第二卷“性的颠倒”中引希普（W. Heape）的话云：“世间并无纯粹雄的或雌的生物，一切都具一个主要的和退缩的性，其两性同样具备的二形（Hermaphrodite）在外。”依此可知两性区分原非绝对，其退缩的性有时复长，则性的现象亦遂转变，在现代知识看去虽亦是希有却并非妖异也。

关于莉莉艾尔伯的事，我恰巧有她一本传，所以知道得一点。这书名为《男化女》（*Man into Woman*），一九三三年出版，系据德文本译成英文，有英国著名妇人科医学家海耳（Norman Haire）的序。原著者诃耶尔（Niels Hoyer），似系丹麦人，为莉莉之友，根据他自己所知，莉莉所说，以及她的日记尺牍等，编述而成，凡二十三章，插图二十五幅，末幅为莉莉的墓碑，上书德文云：莉莉艾尔伯，生于丹麦，卒于特勒思登。案末章云莉莉于一九三一年九月十五日以心脏衰弱卒，然则伦敦通信所云现已改名一节稍有误，盖此当在一九三一年而非现今也。

《男化女》系用通俗传记的体裁所写，差不多是一篇小说似的故事，海耳的序文却说的很简洁得要领，今抄述其一部分于左，即序文前半也：

在不熟悉性的病理学里惨淡的小路僻巷的读者看去，这书里所说的故事一定觉得是奇怪得不可信，虽然似乎是不可信，这却是真实的。或者，该这样说，这些事实是真的，虽然我想在事实的解说上还有馀地可以容得不同的意见。

关于这几件事似乎已无可疑。即有一有名的丹麦画师，在这书中称之曰安特来亚斯巴勒（Andreas Sparre，实即韦格纳），生于十九世纪的八十年代。他在二十岁时结婚，心理与生理上均无异状，能尽其为夫的职务。数年后完全偶然的机会使他扮做一个女人，这变装非常成功，他随后有好几次都着了女装，知道这事的人无不惊异，看他的样子简直是个女性。有一个朋友开玩笑，送他一个女人名字曰莉莉，在他装作女人的时候。以后他渐渐的觉得起了一种转变。他觉得莉莉是一个真实的个性，她同那男性的他——安特来亚共有这个身体。那第二个人格莉莉却逐渐的强盛起来，安特来亚遂相信他是一种孪生，在一个身体里有一半男与一半女的。他每月从鼻孔或是别处出血，他认为月经的变相，去找了许多医生，但是他们都不能帮助他。

他开始研究关于性的病理学的书籍，随后得到这样的一个结论，虽然他的外生殖器官是男性的，也别无异状，但在身体里边还多备有女性的内生殖器官。他去请教的医生有的以为他是神经变质的，有的以为他是同性爱的，但是他自己都不承认这两种诊断。一个医生用爱克思光诊治，后来在腹内发现有女性器官而已萎缩，安特来亚以为这即由于爱克思光的破坏力所致。

女性的莉莉渐益占了优势，安特来亚觉得如没有一个方法使他的男性让位给莉莉，他将不能生存下去了。这时候他已是四十以上了，因为一直找不到医生帮助他使他实现化为女子的欲望，他便计划只有自杀，假如在第二年内没有什么办法。

在形势似乎极恶的时候，他遇见从特勒思登来的一个有名的德国医生，他说安特来亚大约是一种中间性的人，因了自然的游戏，一身具备了男女性的分子。他说在安特来亚的腹中盖有发达未全的卵巢，但是因为也有了睾丸，卵巢受了这抑制的力以致不能适当发育。他劝安特来亚往柏林去，受某种检查。假如检查后证明他的推测不错，他答应给安特来亚除去男根，再从年青女子移植卵巢过去，据斯泰那赫派的实验，这样可以使得安特来亚腹中退缩的卵巢再能活动起来。

安特来亚往柏林去了。检查的结果证实了德国医生的理论，他于是开始受种种的手术，最初是阉割，他的睾丸先除去了。数月之后他到特勒思登，他的男根割去，肚子剖开，发达未全的卵巢之存在也已证明，同时从一个二十六岁的健全年青的女子移植了卵巢组织。不久他又受一种手术，其内容未详，虽然这总与装入一种套管(Canula)的事有点相关。

这时候他觉得自己完全是一个女人了。丹麦官厅给发一张新的女人的执照，署姓名曰莉莉艾尔伯（案艾尔伯系河名，取以为姓，盖记念特来思登地方也)，丹麦王为宣告他的结婚无效。得了他的同意，不，因了他的提示，他的前妻嫁了在罗马的他们从前的一个朋友。

一个法国画家，安特来亚夫妇多年的朋友，现在爱上了莉莉，对她提出结婚的请求。在允许结婚以前，莉莉再旅行至特勒思登去找那德国医生，告诉他现在有这结婚的谈判，问他能否再行一种手术，使她完全能尽女人的职务，能够结婚生产。为这个目的的手术是举行了，但是不久莉莉为了心脏病就在特勒思登死去了。

以上所说的事都是真实的，在这一点上似乎别无问题。此事当初守着秘密，但因为一个友人的疏忽，这秘密泄漏了出去，德国和丹麦的报纸上报告这桩案件，很引起了大家的注意，在一九三一年，即莉莉去世的前几时也。

海耳又说他曾遇见大略相似的事件，但他的意见似乎不大赞成这种彻底的解决法，在序文末后说道：

我不禁这样想，在我们关于性的生理未能更多所知道以前，举行如本案所述的这些手术未免不智，即使是由于病人自己的请求。我想这或者还是以心理治疗为较好罢。安特来亚或可以治愈，或至少可以使他安于生活。用了适当的心理治疗，人格的二重化当可以解除，他也就可以去过一种合理的幸福的生活，不至于去受那些痛苦危险的手术，而以一死了之也。

海耳所说确是稳健持重的意见，但韦格纳的冒险却也是可尊重的一种尝试。古代希腊有先知台勒西亚斯（Teiresias），一生中曾由男化女，再化为男，积有难得的经验，天神宙斯与天后赫拉争论恋爱问题不能定，取决于他，见阿坡罗陀洛斯编《神话集》第三卷。韦格纳可以说是现代的台勒西亚斯，只是试验没有能够完成，未免深可惜耳。

（廿三年五月）

【锺校】

①又题作《男身化女身》，于1935年1月1日刊《妇女旬刊》19卷1号。

《和尚与小僧》

“和尚与小僧”（oshō to kozō），在中国应称为方丈与沙弥或是师父与徒弟，这里是一部书的名字，所以保留原称，没有改动。原书在昭和二年（一九二七）出版，中田千亩所著，题云《杜人杂笔》第一篇，其二为《傻媳妇呆女婿》，三为《和尚与檀那》，似未刊行，书均未见。中田于一九二六年著有《日本童话之新研究》，当时曾得一读，此书则未知道。近时看柳田国男著《退读书历》，其中批评集的第二篇系讲“和尚与小僧”者，始托旧书店找得一册。柳田原文云：

古时候在一个山寺里住着一位和尚与小僧。

用这样的文句起头的民间故事，自古及今共集录有百十来篇，据说这还不过是日本国内调查所及的一丁点儿罢了。

我一读此书，且惊且叹，计有七点。现在且

就此栏（案此文原登在《报知新闻》上）行数所许，稍述我的印象。

第一，亏得著者着眼注意这种珍奇题目以来能够一声不响地勤劳地继续搜索。若是我呢，大约早已嚷起来了，早已变成青而干瘪了也未可知。然而像这本书却正是成熟了落下的一颗果子。

第二，在书店总不会有祈愿损失的，虽说是笃志，使其敢于把此书问世的却显然是时代之力。连那和尚与小僧都出书了，吾徒亦可以安心矣。此乃愉快的这回新发见之一也。

第三，我们生涯中最是个人的部分，即是为祖母所抱而睡于一隅的时代的梦幻，乃是如此的与万民共同的一重大事件，此真非互相讲谈不能了知者也。假如没有中田君，那么我们的童年所仅得而保存的那宝贵的昔时，将为了无谓的怕羞的缘故而永久埋没了亦未可知。时世诚是一个山寺里的和尚也，将因了那明敏的小僧而看破——启发的事情在此后亦自必很多耳。

第四，我们所特别有所感动者，这民族所有的千古一贯的或可称为笑之继承是也。例如三百年前安乐寺的策传大德（案即古笑话书《醒睡笑》的著者）当作某和尚的弱点某小僧的机智记下的故事，把他译作现代语讲给人听，那么昭和时代的少年也将大笑。而其故事的型式，则原只经历小小的变更，直从悠远的大过去继续而来，使天真烂漫元气旺盛的少年们悦耳怡情以至于今也。

故事的根本乃是的确的老话，决不是中古的文艺的出产，这只须考察以何物为滑稽之牺牲即可明白了。在人有衰老，亦有世世的代谢。曾获得优越地位的大和尚也会遇见携金枝而来挑战者，不得不去迎敌。师弟长幼的伦理法则当然很为他援助，可是在单纯的客观者的眼里这也同飞花落叶的自然的推移一般，只是很愉快喜欢地看着罢。如《断舌雀》《开花翁》的童话里愚者简单地灭亡，《两个笨汉的故事》里智者无条件地得胜那样，其时还没有可怜这句话，从那个时代起小僧便在那里且与和尚战斗，且为大家所哄笑，为我们的儿童所围绕着，在等待中田千亩氏写这本书的时代之到来了。

柳田氏是现代有名的民俗学者，我把这篇文章全抄译在这里，比我自己来说要好得多，这实在是想来讨好，并不是取巧。不过原来文字精炼，译出来便有点古怪难懂，其中意义我相信却颇丰富，很有足供思索的地方。《和尚与小僧》原分两篇。其一为资料篇，就全国搜集所得百数十篇故事中选出若干，分门别类，为四十二项，各举一二为例。其二为考证篇，内分三章，一佛寺与社会之关系，二和尚与小僧故事考，三结论。此类故事大抵与普通民间传说及童话相似，且其型式亦无大变化，因为其事件不外智愚的比赛，其体裁又多是笑话，只是人物限于师徒，背景亦以僧坊生活为主耳。中国笑话中虽也多以和尚为材料，但这只是让他一个人在社会上出乖露丑，并没有徒弟做陪衬，更不必说有这许多故事可以成一部书，其原因大约是和尚在中国早已堕落成为游民之一，笑话作家取他作材料，第一因为光头异服，其次破戒犯法，兼有秃子与奸夫之德，大有事半功倍之概，至于与其僧伽制度殆无甚关系也。日本国民思想虽然根本的是神道即萨满教，佛教的影响却亦极大，中古以来寺院差不多与基督教会相像，兼办户籍与学校事务，其地位自较庄严，与民间的关系亦自密切，一直维系到了现在。在笑话里，微贱病弱者固然活该倒运，然而在高位者亦复不能幸免，正如“狂言”中出来的侯爷无不昏愦，武士悉是庸懦，于是大方丈也难免是稗沙门，时常露出马脚来，为沙弥所揭破，或者还受制于白衣，这些故事便是《和尚与檀那》集里的材料了。《和尚与小僧》中有一条与汉字有关，今抄录于下：

和尚吩咐小僧，把酒叫做水边酉，又吩咐他特别在有人来的时候要把汉字分拆了当做暗号讲话。有一天寺里来了两三个客人，小僧便来说道，水边有岛（酉岛日本同读），山上加山如何？假作参禅的样子。和尚答曰，心昔而止。一个客人懂得了他们的意思，便说道，文有口，墙无土。师徒听了搔首不知所对。

这在《醒睡笑》中也有一条，不过和尚系说“一撇一捺夕复夕”，客则曰“玄田牛一”也。

（廿三年五月）

《文饭小品》

民国初年我在绍兴城内做中学教师，忽发乡曲之见，想搜集一点越人著作，这且以山阴会稽为限，然而此事亦大难，书既难得，力亦有所未逮，结果是搜到的寥寥无几，更不必说什么名著善本了。有一天，在大路口的一家熟识的书摊里，用了两三角钱买到一本残书，这却很令我喜欢。书名《谑庵文饭小品》，山阴王思任著，这只是卷三一册，共九十四页，有游记二十二篇。王思任是明末的名人，有气节有文章，而他的文章又据说是游记最好，所以这一册虽是残佚，却也可以算是精华。其中有《游西山诸名胜记》《游满井记》《游杭州诸胜记》《先后游吾越诸胜记》，都是我所爱读的文章。如《游杭州诸胜记》第四则云：

西湖之妙，山光水影，明媚相涵，图画天开，镜花自照，四时皆宜也。然涌金门苦于官皂，钱塘门苦僧，苦客，清波门苦鬼。胜在岳坟，最胜在孤山与断桥。吾极不乐豪家徽贾，重楼架舫，优喧粉笑，势利传杯，留门趋入。所喜者野航两棹，坐恰两三，随处夷犹，侣同鸥鹭，或柳堤鱼酒，或僧屋饭蔬，可信可宿，不过一二金而轻移曲探，可尽两湖之致。

又《游慧锡两山记》云：

越人自北归，望见锡山，如见眷属。其飞青天半，久暍而得浆也，然地下之浆又慧泉首妙。居人皆蒋姓，市泉酒独佳，有妇折阅，意闲态远，予乐过之。买泥人，买纸鸡，买木虎，买兰陵面具，买小刀戟，以贻儿辈。至其酒，出净磁许先尝，论值。予丐冽者清者，渠言燥点择奉，吃甜酒尚可做人乎！冤家。直得一死。沈丘壑曰，若使文君当垆，置相如何地也。

谑庵孙田锡于卷头注曰："口齿清历，似有一酒胡在内，呼之或出耳。"《游西山诸名胜记》中述裂帛湖边一小景云：

有角巾遥步者，望之是巢必大，仲容目短，大然曰，是是，果巢必大也，则哄唤之。必大曰，王季重哉，何至此？入山见似人而喜也。至则共执其臂，索酒食，如兵番子得贼者。必大叫

> 曰，无梏我，有有有。耳语其僮，速速。必大予社友，十六岁戊子乡荐，尊公先生有水田十顷，在瓮山，构居积谷，若眉坞，可扰。不二时，酒至，酒且薏，肉有金蹄，有脍，有小鱼鳞鳞，有馎饦，有南笋旧芥撇兰头，豉酱称是。就堤作灶，折枯作火，挥拳歌舞，瓶之罄矣。必大张其说曰，吾有内酝万瓶，可淹杀公等许许，三狂二秃何足难。邀往便往，刑一鸡，摘蔬求豕。庄妇村中俏也，亟治庖。又有棋局，一宵千古。

又《雁荡记》起首云：

> 雁荡山是造化小儿时所作者，事事俱糖担中物，不然则盘古前失存姓氏大人家劫灰未尽之花园耳。

以上几节文章颇可以代表谑庵的作风，其好处在于表现之鲜新与设想之奇辟，但有时亦有古怪难解之弊。他与徐渭、倪元璐、谭元春、刘侗，均不是一派，虽然也总是同一路，却很不相同，他所独有的特点大约可以说是谑罢。以诙谐手法写文章，到谑庵的境界，的确是大成就，值得我辈的赞叹，不过这是降龙伏虎的手段，我们也万万弄不来。古人云，学我者病，来者方多，谑庵的文集上也该当题上这两句话去。

王季重的九种十一种后来在图书馆里也看到过，

但是我总不能忘记《文饭小品》。今年春天在北平总算找到一部，据说是从山东来的。凡五卷，谑庵子鼎起跋称戊戌，盖刻于顺治十五年也。卷一为致词、尺牍、启、表、判、募疏、赞、铭、引、题词、跋、纪事、说、骚、赋。卷二为诗，内分乐府、风雅什、诗、诗馀、歌行，末附《悔谑》，计四十则，鸿宝《应本》中有一序，今未收。卷三四为记与传。卷五则为序、行状、墓志铭、祭文，以《奕律》四十条附焉。据余增远序中云：

> 向其所刻，星分棋布，未归一致，乃于读书佳山水间手自校雠，定为六十卷，命曰《文饭》，雕几未半，而玉楼召去，刻遂不成。

此五卷盖鼎起所选，其跋云：

> 蓄志成先君子《文饭》而制于力，勉以小品先之。而毁言至，曰，以子而选父，篡也；以愚而选智，诞也；以大而选小，舛也。似也，然《易》不云乎？八卦而小成，则大成者小成之引伸也。智者千虑，不废愚者之一得。父子之间，外人那得知，此吾家语也。吾第使天下先知有《文饭》，饥者易为食而已。知我罪我，于我何有哉。

宋长白于康熙乙酉著《柳亭诗话》，卷二十九有《倪王》一条云：

> 明末诗文之弊，以雕琢小巧为长，筱骖飙犊之类万口一声。吾乡先正如倪文正鸿宝、王文节季重皆名重一时，《代言》《文饭》，有识者所共见矣。至其诗若倪之“曲有公无渡，药难王不留”，王之“买天应较尺，赊月不论钱”，歇后市语，信手拈来，直谓之游戏三昧可耳。

歇后市语迥异筱骖之类，长白即先后自相矛盾，至其所谓《文饭》殆即《文饭小品》，盖《文饭》全集似终未刊行也。王鼎起以选本称为小品，恰合原语本义，可为知言，又其跋文亦殊佳，可传谑庵的衣钵矣。知父莫若子，他人欲扬抑谑庵者应知此理焉。

张岱著《有明越人三不朽图赞》立言文学类中列王思任像之后幅文曰：

> 王遂东，思任，山阴人。少年狂放，以谑浪忤人。官不显达，三仕令尹，乃遭三黜。所携宦橐游囊，分之弟侄姊妹，外方人称之曰，王谑庵虽有钱癖，其所入者皆出于称觞谀墓，赚钱固好而用钱为尤好。赞曰：
>
> 拾芥功名，生花彩笔。以文为饭，以弈为律。
>
> 谑不避虐，钱不讳癖。传世小题，幼不

可及。

宦橐游囊，分之弟侄。孝友文章，当今第一。

李慈铭批云：

遂东行事固无甚异，然其风流倜傥，自是可观，与马士英书气宇峰举，犹堪想见。若其诗文打油滑稽，朱氏谓其钟谭之外又一旁派，盖邪魔下乘，直无足取。此乃表其钱癖，而赞又盛称其文章，皆未当也。唯郡县志及《越殉义传》邵廷采《思复[1]堂集》杜甲《传芳录》温睿临《南疆佚史》诸书皆称遂东为不食而死，全氏祖望《鲒埼亭外集》独据倪无功言力辨其非死节，陶庵生与相接而此赞亦不言其死，可知全氏之言有征矣。

李氏论文论学多有客气，因此他不但不能知道王谑庵的价值，就是张宗子的意思也不能懂得了。宗子此赞又见《琅嬛文集》中（光绪刻本卷五），其“谑不避虐，钱不讳癖”二句盖其主脑，宗子之重谑庵者亦即在此。文集卷四有《王谑庵先生传》，末云：

偶感微疴，遂绝饮食，僵卧时常掷身起，努目握拳，涕洟鲠咽，临瞑连呼高皇帝者三，闻者比之宗泽濒死三呼过河焉。

此与《文饭小品》唐九经序所云：

惟是总漕王清远公感先生恩无以为报，业启□□贝勒诸王（案纸有腐蚀处缺字，下同）将大用先生，先生闻是言愈跼蹐无以自处，复作手书遗经曰，我非偷生者，欲保此肢体以还我父母尔，时下尚有□谷数斛，谷尽则逝，万无劳相逼为。迨至九□□初，而先生正寝之报至。呜呼，屈指其期，正当殷谷既没周粟方升之始，而先生□□□逝，迅不逾时，然则先生之死岂不皎皎与日月争光，而今日之凤林非即当年之首阳乎。

语正相合。盖谑庵初或思以黄冠终老，迨逼之太甚，乃绝食死。又邵廷采《明侍郎遂东王公传》引徐沁《采薇子像赞》云：

公以诙谐放达，而自称为谑，又虑愤世嫉邪，而寻悔其虐。孰知嬉笑怒骂，聊寄托于文章；慷慨从容，终根柢于正学。

当时"生与相接"者之言悉如此，关于其死事可不必多疑，惟张宗子或尤取其谑虐钱癖二事，以为比死更可贵，故不入之立德而列于立言，未可知也。《王谑庵先生传》中叙其莅官行政摘伏发奸以及论文赋诗无不以谑从事，末乃云：

人方眈眈虎视，将下石先生，而先生对之调

笑狎侮，谑浪如常，不肯少自贬损也。晚乃改号谑庵，刻《悔虐》，以志已过，而逢人仍肆口诙谐，虐毒益甚。

倪鸿宝《应本》卷七有序文亦称《悔虐》，而《文饭小品》则云《悔谑》，其所记在今日读之有稍费解者，康熙时刻《山中一夕话》卷六曾采取之，可知其在当时颇为流行矣。传后论云：

谑庵先生既贵，其弟兄子侄宗族姻娅，待以举火者数十馀家，取给宦囊，大费供亿，人目以贪，所由来也，故外方人言王先生赚钱用似不好，而其所用钱极好。故世之月旦先生者无不称以孝友文章，盖此四字唯先生当之则有道碑铭庶无愧色，若欲移署他人，寻遍越州，有乎，无有也。

陶元藻《全浙诗话》卷三十五云：

遂东有钱癖，见钱即喜形于色，是日为文特佳。然其所入者强半皆谀墓金，又好施而不吝，或散给姻族，或宴会朋友，可顷刻立尽，与晋人持筹烛下溺于阿堵者不同，故世无鄙之者。

陶篁村生于乾隆时，去谑庵已远矣，其所记如此，盖或本于故老流传，可与宗子所说互相印证。叶廷琯《鸥波渔话》云：

字画索润，古人所有。板桥笔榜小卷，盖自

书书画润笔例也，见之友人处，其文云："大幅六两，中幅四两，小幅二两，书条幅对联一两，扇子斗方五钱。凡送礼物食物，总不如白银为妙，公之所送未必弟之所好也。送现银则中心喜乐，书画皆佳。礼物既属纠缠，赊欠尤为赖账，年老神倦，不能陪诸君子作无益语言也。画竹多于买竹钱，纸高六尺价三千，任渠话旧论交接，只当秋风过耳边。乾隆己卯，拙公和上属书谢客，板桥郑燮。"此老风趣可掬，视彼卖技假名士偶逢旧友，貌为口不言钱，而实故靳以要厚酬者，其雅俗真伪何如乎。

板桥的话与篁村所说恰合，叶调生的评语正亦大可引用，为谑庵张目也。

李越缦引朱竹垞语，甚不满意于谑庵的诗文，唯查《静志居诗话》关于谑庵只是"季重滑稽太甚有伤大雅"这一句话，后附录施愚山的话云：

季重颇负时名，自建旂鼓，其诗才情烂漫，无复持择，入鬼入魔，恶道坌出，钟谭之外又一旁派也。

盖即为李氏所本。其实这些以正统自居者的批评原不甚足依据，而李氏自己的意见前后亦殊多矛盾，如上文既说其风流倜傥自是可观，在《越中先贤祠目》序例中又云风流文采照映寰宇，可是对于诗文却完全抹杀，亦不知其所谓风流文采究竟是怎么一回事也。李氏盛称其致马士英书，以为正义凛然，书亦见邵廷采所著传中，但似未完，今据张岱所著传引录于下：

阁下文采风流，吾所景羡。当国破众散之际，拥立新君，阁下辄骄气满腹，政本自由，兵权在握，从不讲战守之事，而但以酒色逢君，门户固党，以致人心解体，士气不扬，叛兵至则束手无措，强敌来则缩颈先逃，致令乘舆迁播，社稷丘墟，观此茫茫，谁任其咎。职为阁下计，无如明水一盂，自刎以谢天下，则忠愤之士尚尔相原。若但求全首领，亦当立解枢柄，授之守正大臣，呼天抢地，以召豪杰。乃今逍遥湖上，潦倒烟霞，效贾似道之故辙，人笑褚渊齿已冷矣。且欲求奔吾越，夫越乃报仇雪耻之国，非藏垢纳污之地也，职当先赴胥涛，乞素车白马以拒阁下。此书出，触怒阁下，祸且不测，职愿引领以待钼麑。

此文价值重在对事对人，若以文论本亦寻常，非谑庵之至者，且文庄而仍“亦不废谑”，如王雨谦所评，然则李氏称之亦未免皮相耳。今又从《文饭小品》卷一抄录《怕考判》一篇，原文有序，云：

督学将至，姑熟棚厂具矣，有三秀才蕴药谋爇之，逻获验确，学使者发县，该谑庵判理具申。

一炬未成，三生有幸。欲有谋而几就，不待教而可诛。万一延烧，罪将何赎；须臾乞缓，心实堪哀。闻考即已命终，火攻乃出下策。各还初服，恰遂惊魂。

二文一庄一谐，未知读者何去何从，不佞将于此观风焉。唯为初学设想，或者不如先取致马阁老书，因其较少流弊，少误会，犹初学读文章之宁先《古文析义》而后《六朝文絜》也，但对于《怕考判》却亦非能了解不可，假如要想知道明末的这几路的新文学与其中之一人王谑庵的人及其文章。至于自信为正统的载道派中人乃可不必偏劳矣，此不特无须抑住怒气去看《怕考判》了，即致马士英书亦可以已，盖王谑庵与此载道家者流总是无缘也。

（《夜读抄》之二十二）

【锺校】

①“思复”原作“复思”。

《江州笔谈》

从小时候就在家里看见一部《巴山七种》，无事时随便翻看，三十年来不知道有几次了，及今才知其妙。书有同治乙丑（一八六六）序，木刻小本，纸墨均劣，计《皇朝冠服志》二卷，《治平要术》一卷，《衡言》四卷，《放言》二卷，《江州笔谈》二卷，《白岩文存》六卷，《诗存》五卷，共二十二卷，云有《治官记异》及《字通》二书已先刊行，则未之见。著者为栖清山人王侃，《文存》卷四有自撰墓志，知其字迟士，四川温江人，以贡授州判不就，撰文时为咸丰辛酉称行年六十有七，计当生于乾隆六十年乙卯（一七九五）也。墓志自称："山人喜事功，不解渊默，心存通脱，死生不以置怀，何有名利。其为人直口热肠，又性卞急，以故于时不合，然与人无町畦，人亦不忍相欺云。"又云"良恨前后执政庸庸，不能统天下大计，建言变法，以致世局日坏"，可见在那时也是一个有心人。但是我所觉得有意思者，还在他对于一般事物的常识与特识，这多散见于笔记中，即《衡言》《放言》与《江州笔谈》。据他在墓志里说，“随时自记其言，论古者可名《衡言》，谈时事者可名《放言》，一听后人分部统名《笔谈》”，其实内容大略相似，随处有他的明达的识见。《江州笔谈》大约是在江津所记，因为较是杂记性质，所以拿来权作代表，其二言所谈及者便即附列在内。栖清山人论小儿读书很有意思，《笔谈》卷上云：

> 读书理会笺注，既已明其意义，得鱼忘筌可也，责以诵习，岂今日明了明日复忘之耶。余不令儿辈读章句集注，盖欲其多读他书，且恐头巾语汩没其性灵也，而见者皆以为怪事，是希夷所谓学《易》当于羲皇心地上驰骋，毋于周孔注脚下盘旋者非也。

卷下又云：

> 教小儿，不欲通晓其言而唯责以背诵，虽能上口，其究何用。况开悟自能记忆，一言一事多年不忘，传语于人莫不了了，是岂再三诵习而后能者耶。

《衡言》卷一亦有一则可以参考，文云：

> 周诰殷盘佶屈聱牙，寻绎其义，不过数语可

了，有似故为艰深者。不知当时之民何以能解，岂一时文体所尚如是乎，抑果出于下吏之手乎？授小儿强读之，徒形其苦，未见其益。

山人又痛恶八股文字，《笔谈》卷上云：

唐宋金石文字间用左行，字大小斜正疏密不拘，署衔名长短参差有致，虽寥寥数语，出自巷曲细民，文理亦形古雅。今之碑板文既陋劣，语言名称尤甚不伦，良由独习进取之文，不暇寻古人门径。独惜土木之工壮丽称于一时，而文不足传后，千载下得不笑今世无人耶。

又云：

诗以言情，感于所遇，吐露襟怀，景物取诸当前，何假思索。若本无诗情而勉强为诗，东抹西涂，将无作有，即得警句亦不自胸中流出，况字句多疵，言语不伦耶。至以八股之法论诗，谓此联写题某处，此句写题某处。岂知古人诗成而后标出作诗之由，非拟定此题然后执笔为诗。梦梦如是，无怪人以作诗为难。亦犹人皆可为圣贤，自道学书连篇累牍，言心言性，使人视为苦事，不敢有志圣贤也。

又云：

文之最难者无如八股，故虽以之名家，其一

生不过数艺可称合作，然置之场屋不必能取科名，取科名者亦不必皆佳，而皆归于无用，昌黎所谓虽工于世何补者，尚足以记载事物称颂功德也。今捐班有诗字画皆能而独不通八股者，以其能取科名，不敢轻视，倘或知其底里，恐不愿以彼易此也。

《放言》卷上云：

执笔行文所以达意，不但不能达意，而并无意可达，徒将古人陈言颠倒分合，虚笼旁衬，欲吐还吞，将近忽远，作种种丑态，争炫伎俩，而犹以为代圣贤立言，圣贤之言尚不明了而待此乎。又况登第之后日写官板楷书，得入翰林亦第以诗赋了事，今世所谓读书人者止此。不解韬钤，不明治术，而又拘于宦场习套，庸庸自甘，安得贤豪接踵，将此辈束之高阁也。

又云：

农谈丰歉，工谈巧拙，商谈赢绌，宜也。士之为士只宜谈八股乎？求进取不得不习八股，既已仕矣，犹不可废之乎？秦燔百家言以愚黔首，今尚八股以愚黔首，愚则诚愚矣，其如人才不竞，不能以八股灭贼何？

其对于武人亦大不敬，《放言》卷上云：

服物采章以表贵贱，然异代则改，异域顿殊，一时一地之荣何足为重。今饰功冒赏，冠多翘翘，蓝翎倍价而不可得，貂可续以狗尾，此则将何为续？当此之时犹复奔竞营求，抑知无贼之地固可拗项自雄，一旦遇贼，惧为所识，又将拔之唯恐不及乎？

卷下又云：

军兴以来，州县官募勇先挑围队自卫。此辈近官左右，习于趋跄应对，自矢报效，有似敢死。一旦遇贼，借事先逃，给口便言，官犹信其无贰，此与孙皓左右跳刀大呼决为陛下死战，得赐便走者何异。然皓犹出金宝为赐，不似今日但赏功牌遂欲人致死也。

语涉时事，遂不免稍激昂，却亦有排调之趣。但我更喜欢他别的几条，意思通达而明净，如《笔谈》卷上论薄葬云：

周主郭威遗命纸衣瓦棺以葬，至今要与厚葬者同归于尽。回人好洁，葬法有衾无衣，有椁无棺，血肉时化入土。余生无益于人，死亦不欲有害于人，安得负土而出之石，掘土数尺，凿空足容吾身，即石面大书刻曰栖清山人王侃之藏，死时襚以布衣，纳入其中，筑土种豆麦如故，但取古人藏其体魄勿使人畏恶之意，虽于礼俗未合，亦非无所师法也。

又《衡言》卷三云：

习俗移人，聪明才智之士苟无定见，鲜不随风而靡。长乐老历事四姓，亦以其时不尚气节，故反以为荣耳。使其生于南宋，道学中未必无此人也。

此外还有好些好意思，不过引用已多，大有文抄公的嫌疑，所以只好割爱了。就上面所抄的看去，可以知道他思想的大略，这虽然不能说怎么新奇，却难得那样清楚，而且还在七八十年前，有地方实在还比现在的人更是明白。现在有谁像他那样的反对读经做八股呢？《巴山七种》随处多有，薄值可得，大家破工夫一读，其亦不无小补欤。

（廿三年六月）

《五杂组》

谢在杭的著作除《史觿》外，我所见的都是日本翻刻本，如《五杂组》刻于宽文辛丑（一六六一），《文海披沙》在宽延庚午（一七五〇），《麈馀》在宽政戊午（一七九八），《小草斋诗话》则在天保辛卯（一八三一），距宽文时已有百七十年了。小草斋论诗大抵是反钟谭而崇徐李，我也看不出他的好处来。《麈馀》全是志异体，所记的无非什么逆妇变猪之类而已，我买来一读完全为的是谢在杭名字的缘故。《文海披沙》见于《四库存目》，焦竑序中云，“取《文海披沙》刻之南中，而属余为序”，可知当时曾有刊本，而世少流传，《郑堂读书记》卷五十七所举亦根据写本，清季申报馆重印则即用日本刻为底本，其《续书目》中缕馨仙史提要云：“唯闻先生脱稿后并未问世，继乃流入东瀛，得寿梨枣，近始重返中华，然则鸡林贾人之购《长庆集》不得专美于前矣。”恐或有误。关于此书，《四库提要》及《读书记》大加轻诋，焦竑陈五昌二序又备极称扬，其实都要打个折扣。在许多笔记中这原是可读的一部，不过也并没有多少独自的特色，比起《五杂组》来就难免要落后尘了。

《五杂组》十六卷，前有李本宁序，却没有年月。原书卷九云：“物作人言，余于《文海披沙》中详载之。”今案《文海披沙》有万历辛亥（一六一一）序，则成书当在此后。卷五云：“大同中翰马呈德其内人孕八岁而生子，以癸卯孕，庚戌免身，子亦不甚大，但发长尺许，今才三岁，即能诵诗书如流。”计其记此文时当在万历壬子，但卷三又云，“万历辛丑四月望日与崔徵仲孝廉登张秋之戊己山”，则又系隔岁事。大抵在此几年中陆续所记，而在万历末年所编成者欤。全书分五部，凡天部二卷，地部二卷，人部物部事部各四卷。其中我觉得最有意思的乃是物部，物类繁多，易引人注意，随处随事可见格物工夫，博识新知固可贵重，即只平常纪叙，而观察清楚，文章简洁，亦复可诵。写自然事物的小文向来不多，其佳者更难得。英国怀德（Gilbert White）之《自然史》可谓至矣，举世无匹。在中国昔日尝有段柯古的《酉阳杂俎》，其次则此《五杂组》，此二者与怀德书不能比较，但在无鸟之乡此亦蝙蝠耳。在杭与柯古均好谈异，传说和事实往往混淆，然而亦时好奇喜探索，便能有新意，又善于文字，皆其所长也。《五杂组》卷九记海滨异物云：

龙虾大者重二十馀斤，须三尺馀，可为杖。蚶大者如斗，可为香炉。蚌大者如箕。此皆海滨人习见，不足为异也。

又记南方虫蠹云：

岭南屋柱多为虫蠹，入夜则啮声刮刮，通夕搅人眠，书籍蟫蛀尤甚。故其地无百年之室，无五十年之书，而蛇虫虺蜴纵横与人杂处，著依稀蛮獠之习矣。

又记小虫二则云：

山东草间有小虫，大仅如沙砾，嚼人痒痛，觅之即不可得，俗名拿不住。吾闽中亦有之，俗名没子，盖乌有之意也，视山东名为佳矣。

×

浙中郡斋尝有小虫，似蛴螬而小如针尾，好缘纸窗间，能以足敲纸作声，静听之如滴水然，迹之辄跃，此亦焦螟之类欤。

案《元氏长庆集》虫豸诗之五为《蟆子》，序云，“蟆，蚊类也，其实黑而小，不碍纱縠，夜伏而昼飞”，盖即没子软。今北平有白蛉亦相类，但白而不黑耳。又《续博物志》云：“有小虫至微而响甚，寻之不可见，号窃虫。”日本亦有之，云似蚜虫，身短小，灰黄色，头部较大而颚尤强大，住于人家，以颚摩门窗，发声沙沙如点茶，故名点茶虫，又称洗赤豆虫，英国则称之为送终虫（Death-watch），民间迷信如闻此虫声，主有人死亡云。读在杭小文乃极潇洒可喜，唯比之焦螟亦未免嗜奇之过，至论命名之有风致则殆无过于日本矣。卷九记燕市食物云：

余弱冠至燕，市上百无所有，鸡鹅羊豕之外，得一鱼以为稀品矣。越二十年，鱼蟹反贱于江南，蛤蜊银鱼，蛏蚶黄甲，累累满市。此亦风气自南而北之证也。

卷十一记青州食物云：

青州虽为齐属，然其气候大类江南，山饶珍果，海富奇错。林薄之间，桃李楂梨，柿杏苹枣，红白相望，四时不绝。市上鱼蟹腥风逆鼻，而土人不知贵重也，有小蟹如彭越状，人家皆以喂猫鸭，大至蝉蜡黄甲，亦但腌藏臭腐而已。使南方人居之，使山无遗利，水无遗族，其富庶又不知何如也。

又卷九论南人口食云：

南人口食可谓不择之甚，岭南蚁卵蚺蛇皆为珍膳，水鸡虾蟆其实一类，闽有龙虱者飞水田中，与灶虫分毫无别，又有土笋者全类蚯蚓。扩而充之，天下殆无不可食之物。燕齐之人食蝎及蝗。余行部至安丘，一门人家取草虫有子者炸黄色入馔，余诧之，归语从吏，云此中珍品也，名蚰子，缙绅中尤雅嗜之，然余终不敢食也。则蛮方有食毛虫蜜唧者又何足怪。

清王侃在《江州笔谈》卷下亦有关于这事的一节话：

北人笑南人口馋，无论何虫随意命名即取啖之，以余所见，大约闽人尤甚。然天下有肉无毒者无不可食，虫豸之类蠕然而肥，得脱于人口者，必其种类太少，不足以供大嚼。不然，如九香虫（案即上文所云龙虱）者，水涸丛聚江石下，泄气令人掩鼻，入釜中以微火烘之，泄气既尽，遂觉香美，使人垂涎，舟人以一钱易数十枚呷酒，小儿亦喜食之，其他蛲螂蚱蜢之属亦皆香美。然则欲不为人所食，必小如蚊虻蚍蜉而后可。

二文皆平正可喜，谢云天下殆无不可食之物，王云天下有肉无毒者无不可食，语益精要，由此言之，口食异同亦殊不足论矣。我们所想知道的是何种虫豸何法制作是何味道，而此可食及诸不可食的虫豸其形状生活为何，亦所欲知，是即我们平人的一点知识欲，然而欲求得之盖大不易，求诸科学则太深，求之文学又常太浮也。此类文艺趣味的自然史或自然史趣味的文集本来就该有些了，现在既不可得，乃于三百年前求之，古人虽贤，岂能完全胜此重任哉。我们读《五杂组》，纵百稗而一米，固犹当欢喜赞叹，而况所得亦已不少乎。

（廿三年六月）

《百廿虫吟》

《百廿虫吟》一卷，道光甲申（一八二四）年刊，平湖钱步曾著，末附诸人和作一卷，凡九十七首。本来咏物之作没有多大意思，其枯窘一点的题目，往往应用诗钟的做法，只见其工巧而已，此外一无可取。但是对于这一册诗我却别有一种爱好：难得这百二十章诗都是咏虫的，虽然把刺猬与虾蟆之流也都归入虫豸类里未免稍杂乱，总之是很不容易的了。其次是他不单是吟咏罢了，还有好些说明，简单地叙述昆虫的形状，而有些虫又是平常不见著录的，儿时在乡间戏弄大抵都见识过，然而《尔雅》不载，《本草》不收，有的简直几千年来还没有给他一个正式的姓名。著者自序云：

盈天地间皆物也，而其至纷赜至纤细者莫如昆虫。有有其名而罕觏其物者，有有其物而未得其名者，有古之名不合于今者，有今之名不符于

> 古者，有同物而异名者，有同名而异物者，分门别类，考究为难。暇日无事，偶拈小题，得诗百馀首，补《尔雅笺疏》之未备，志《齐民要术》所难周，蠕动蜎飞，搜罗殆略尽矣。明识雕虫末技，无当体裁，或亦格物致知之一助云尔。

他的意见我觉得很不错，格物致知也说得恰好，不比普通道学家的浮词浪语。所可惜者只是记的太少，若是每种都有注，可以抄成一卷《释虫小记》，那就大有益于格物之学了。

我这所谓格物可以有好几种意思，其一是生物的生态之记录，于学术不无小补，其次是从这些记录里看出生物生活的原本，可以做人生问题的参考。平常大家骂人总说禽兽，其实禽兽的行为无是非善恶之可言，乃是生物本然的生活，人因为有了理智，根本固然不能违反生物的原则，却想多少加以节制，这便成了所谓文明。但是一方面也可以更加放纵，利用理智来无理的掩饰，此乃是禽兽所不为的勾当，例如烧死异端说是救他的灵魂，占去满洲说是行王道之类是也。我们观察生物的生活，拿来与人生比勘，有几分与生物相同，是必要而健全的，有几分能够超出一点，有几分却是堕落到禽兽以下去了：这样的时常想想，实在是比讲道学还要切实的修身工夫，是有新的道德的意义的事。

生物的范围很广，无一不可资观察，但是我仿佛偏重虫豸者，这大抵由于个人的爱好，别无什么大的理由。鳞介沉在水底里，鸟在空中高飞，平常难得遇见，四脚的兽同我们一样的地上走着，我却有点嫌他们笨重，虽然也有鼬类长的像是一条棒，也有象和麒麟的鼻子脖子那么出奇的长，然而压根儿就是那一副结构，到底也变化不到什么地方去。至于虫豸便十分复杂了，那些样子既然希奇古怪，还有摇身一变以至再变的事情，更有《西游记》的风味，很足以钓住我们非科学家的兴趣。再说儿时的经验里，因为虫豸的常见与好玩，相识最多也最长久，到后来仍旧有些情分。至于法勃耳（J. H. Fabre）的十卷《昆虫记》所给我们的影响，那或者也是一个颇大的原因，可是如今只好附加在这末后了。

野马似乎跑得太远一点了。《百廿虫吟》是专咏昆虫的，想叫他负上边所说的那种责任当然不大可能，但是注意到这些虫而且又有这许多，又略有所说明，这是很难得的。讲到诗，咏物照例是七律，照例以故典巧搭为事，如《蝇虎》颈联云，“百年傲骨教谁吊，终古谗人向此投”，是最好的一例，虽然有读者朱批云“激昂感慨”，却总不能令人感到蝇虎之为物，只是蝇与虎的二字的搬弄而已。其小注多可喜，有些昆虫还都未见记载，所以更觉得有意思。如第二十九《算命先生》云：

“算命先生”亦蜘蛛之属，体圆如豆，足细而长，不能吐丝，好居丛草中及古墙脚下。儿童捕得之，戏摘其足置地上，伸缩逾时方已，谓之“算命”。俗因名为“算命先生”，遍查类书无有载是物者。

又第四十三《灰蚱蜢》云：

灰蚱蜢有两种。一种名舂箕，身有斑点，两股如玳瑁，红痕殷然，飞可数步。一种名石蟹，纯褐色，短小精悍，翼端有刺，善跳跃而不能飞，其生最早，踏青时已有之。

《本草纲目》虽有灰蚱蜢一项，但语焉不详，不及此远甚。所云名舂箕的一种，疑是尖头的，越中有尖头蚱蜢，绿色亦有灰色者，小儿执其后足下部，以一手撷其尖头，则颠顿作磬折状，歌云，“我给你梳头，你给我舂米”，俗称之曰舂（读若磉）米郎。第四十六云《棺材头蟋蟀》，无小注而只有诗，词云：

月额红铃几度猜，头衔猜不到棺材。

未蒙相国图经载，直讶将军舆榇来。

秋草依栖磷影乱，荒坟酬答鬼吟哀。

诸君力斗终何益，顾此形模百念灰。

此虫越中多有之，称棺材头蛐蛐，形如普通蟋蟀，头作梅花式，稍前倾，状丑名恶，见者憎且忌，随即打杀，亦不知其能斗否或鸣声如何也。小儿秋间多捕促织玩养，无不知棺材头蛐蛐者，而未见著录。方旭著《虫荟》，其昆虫一卷虽有二百十九种，范寅著《越谚》卷中虽录有牛蜻蛚（俗呼牛唧呤，即油胡卢），亦均未收此虫。又第四十九《赃螂》注云：

蟑螂见吴府志，而蟑字无考。近阅《谭子雕虫》一书，载行夜俗呼赃螂，市语谓臭秽之物为赃东西，故恶而名之。形类蚕蛾而瘦，腹背俱赤，光滑似油染，两翅能飞，亦不甚远，喜灯火光，辄夜行。其体甚臭，其屎尤臭。本生草中，八九月入人家，壁间灶下，聚至千百，凡器物着之俱不堪向迩。能入蜂匣中食蜂蜜[①]罄尽，养蜂者尤忌之。又赃螂花生阴湿地，长二尺馀，至秋乃花，花开于顶，似凉伞然，瓣末微卷，有长须间之，作深红色，月馀方萎。俗谓供此花能辟赃螂，然试之亦不甚验。

关于赃螂，《春在堂随笔》卷八有一条考证颇详，唯此记亦殊有致，末说到赃螂花也有意思，此即石蒜，日本称之曰死人花、彼岸花、曼珠沙华，亦不知是何缘故也。第一百七《水马》云：

《本草》，水黾亦名水马，长寸许，群行水上，水涸即飞去。《五杂组》，水马逆流而跃，水日奔流而步不移尺寸，儿童捕之辄四散奔迸，唯嗜蝇，以发系蝇饵之，则擒抱不脱。一名写字虫，因其急走水面，纵横如直画。《列子》云商蚷驰河，盖谓此也，今我乡呼为水蜘蛛者是。又一种枯瘠如柴杆，贸贸然游行水上，若有知若无知，不知何名。

第百十《虾鳖》云：

水鳖状略似地鳖，其色青，渐老则变为黑，四五月间登陆，坼背化为蝉。虾鳖状如伊威，好寄居长须君颊辅间，臃②肿如瘤，与水鳖截然二物，前人类书多误混为一。

又第百十一《水蛆》云：

《蟫史》载水蛆一名蚩虫，生积水中，屈伸反覆于水，长二三分，大如针，夏月浮水面化为蚊。予尝观荷花缸中有红黑二种，尾着于泥，立其身摇曳不休，见人影则缩入泥穴，即水蛆也。俗呼水虱为水蛆，非是。

《虫荟》卷三昆虫类蜎下引《尔雅》云，蜎，蠉。《疏》云，井中小赤虫也，名蜎，一名蠉，一名蛣蟩，又名孑孓。方旭案云：

> 其身细如缕，长二三分，灰黑色，亦有红色者，生污水中，其性喜浮水，见人则沉入水底。其行一曲一直，以腰为力，若人无臂状。水缸内亦有之，又名水蛆，老则化豹脚蚊。一种相似而头大尾尖者，名缸虎。

此所说较详细，但与上文《蟫史》相同，也只讲到孑孓而已，所云在荷花缸中立其身摇曳不休的小红虫终于未曾说及。此虫与孑孓及打拳水蛆（即头大尾尖者）在荷缸中都很普通，而比较地尤为儿童所注意，我们如回想儿时事情便可明了，钱朋园能够把他记录出来，这是我所觉得很可喜的。其他说虾鳖以及那枯瘠如柴杆的水虫也都自有见识，只可惜太少罢了。其实这是很难怪的，不知道有多少年来中国读书人的聪明才力都分用在圣道与制艺这两件物事上面，玩物丧志垂为重戒，虽然经部的《诗》与《尔雅》，医家的《本草》，勉强保留一点动植物的考察，却不能渐成为专门，其平常人染指于此者自然更是寥寥了。钱君既不做笺疏，又不撰谱录，原只是做咏物诗耳，却加上这好些小记，而且多是别人所未曾说过的事情，那也就大可佩服了。古人评萨坡遗诗云，花朵虽少，俱是蔷薇。比拟或少有不伦，正无妨暂且借用耳。

（二十三年七月）

【锺校】

①“蜂蜜”原作“蜜蜂”。

②“臃”原作“拥”。

厂甸

琉璃厂是我们很熟的一条街。那里有好些书店，纸店，卖印章墨合子的店，而且中间东首有信远斋，专卖蜜饯糖食，那有名的酸梅汤十多年来还未喝过，但是杏脯蜜枣有时却买点来吃，到底不错。不过这路也实在远，至少有十里罢，因此我也不常到琉璃厂去，虽说是很熟，也只是一个月一回或三个月两回而已。然而厂甸又当别论。厂甸云者，阴历元旦至上元十五日间琉璃厂附近一带的市集，游人众多，如南京的夫子庙，吾乡的大善寺也。南新华街自和平门至琉璃厂中间一段，东西路旁皆书摊，西边土地祠中亦书摊而较整齐，东边为海王村公园，杂售儿童食物玩具，最特殊者有长四五尺之糖胡卢及数十成群之风车，凡玩厂甸归之妇孺几乎人手一串。自琉璃厂中间往南一段则古玩摊咸在焉，厂东门内有火神庙，为高级古玩摊书摊所荟萃，至于琉璃厂则自东至西一如平日，只是各店关门休息五天罢了。厂甸的情形真是五光十色，游人中各色人等都有，摆摊的也种种不同，适应他们的需要，儿歌中说得好：

新年来到，糖瓜祭灶。

姑娘要花，小子要炮。

老头子要戴新呢帽，

老婆子要吃大花糕。

至于我呢，我自己只想去看看几册破书，所以行踪总只在南新华街的北半截，迤南一带就不去看，若是火神庙那简直是十里洋场，自然更不敢去一问津了。

说到厂甸，当然要想起旧历新年来。旧历新年之为世诟病也久矣，维新志士大有灭此朝食之概，鄙见以为可不必也。问这有多少害处？大抵答语是废时失业，花钱。其实最享乐旧新年的农工商，他们在中国是最勤勉的人，平日不像官吏教员学生有七日一休沐，真是所谓终岁作苦，这时候闲散几天也不为过，还有那些小贩趁这热闹要大做一批生意，那么正是他们工作最力之时了。过年的消费据人家统计也有多少万，其中除神马炮仗等在我看了也觉得有点无谓外，大都是吃的穿的看的玩的东西，一方面需要者愿意花这些钱换去快乐，一方面供给者出卖货物得点利润，交易而退，各得其所，不见得有什么地方不对。假如说这钱花得冤了，那么一年里人要吃一千多顿饭，算是每顿一毛共计大洋百元，结果只做了几大缸粪，岂不也是冤枉透了么？饭是活命的，所以大家以为应该吃，但是生命之外还该有点生趣，这才觉得生活有意义，小姑娘穿了布衫还要朵花戴戴，老婆子吃了中饭还想买块大花糕，就是为此。旧新年除与正朔不合外别无什么害处，为保存万民一点生趣起见，还是应当存留，不妨如从前那样称为春节，民间一切自由，公署与学校都该放假三天以至七天。——话说得太远了，还是回过来谈厂甸买书的事情罢。

厂甸的路还是有那么远，但是在半个月中我去了四次，这与玄同半农诸公比较不免是小巫之尤，不过在我总是一年里的最高纪录了。二月十四日是旧元旦，下午去看一次，十八十九廿五这三天又去，所走过的只是所谓书摊的东路西路，再加上土地祠，大约每走一转要花费三小时以上。所得的结果并不很好，原因是近年较大的书店都矜重起来，不来摆摊，摊上书少而价高，像我这样“爬螺蛳船”的渔人无可下网。然而也获得几册小书，觉得聊堪自慰。

其一是《戴氏注论语》二十卷合订一册，大约是戴子高送给谭仲修的罢，上边有“复堂所藏”及“谭献”这两方印。这书摆在东路南头的一个摊上，我问一位小伙计要多少钱，他一查书后粘着的纸片上所写“美元”字样，答说五元。我嫌贵，他说他也觉得有点贵，但是定价要五元。我给了两元半，他让到四元半，当时就走散了。后来把这件事告诉玄同，请他去巡阅的时候留心一问，承他买来就送给我，书末写了一段题跋云：

> 民国廿三年二月廿日启明游旧都厂甸肆，于东莞伦氏之通学斋书摊见此谭仲修丈所藏之戴子高先生《论语注》，悦之，以告玄同，翌日廿一玄同往游，遂购而奉赠启明。

跋中廿日实是十九，盖廿日系我写信给玄同之日耳。

其二是《白华绛柎阁诗》十卷，二册一函。此书我已前有，今偶然看见，问其价亦不贵，遂以一元得之。《越缦堂诗话》的编者虽然曾说：“清季诗家以吾越李莼客先生为冠，《白华绛柎阁集》近百年来无与辈者。”我于旧诗是门外汉，对于作者自己“夸诩殆绝”的七古更不知道其好处，今买此集亦只是乡曲之见。诗中多言及故乡景物，殊有意思，如卷二《夏日行柯山里村》一首云：

> 溪桥才度庳篷船，村落阴阴不见天。
> 两岸屏山浓绿底，家家凉阁听鸣蝉。

很能写出山乡水村的风景，但是不到过的也看不出好来罢。

其三是两册丛书零种，都是关于陆氏《草木鸟兽虫鱼疏》的，即焦循的《诗陆氏疏疏》，“南菁丛刻”本，与赵佑的《毛诗陆疏校正》，聚学轩本。我向来很喜欢陆氏的虫鱼疏，只是难得好本子，所有的就是毛晋的《陆疏广要》和罗振玉的新校正本，而罗本又是不大好看的仿宋排印的，很觉得美中不足。赵本据《郘亭书目》说它好，焦本列举引用书名，其次序又依《诗经》重排，也有他的特长，不过收在大部丛书中，无从抽取，这回都得到了，正是极不易遇的偶然。翻阅一过，至“流离之子”一条，赵氏案语中云：

> 窃以鸮枭自是一物，今俗所谓猫头鹰，……哺其子既长，母老不能取食以应子求，则挂身树上，子争啖之飞去，其头悬着枝，故字从木上鸟，而枭首之象取之。

猫头鹰之被诬千馀年矣，近代学者也还承旧说，上文更是疏状详明有若目击，未免可笑。学者笺经非不勤苦，而于格物欠下工夫，往往以耳为目。赵书成于乾隆末，距今百五十年矣，或者亦不足怪，但不知现在何如，相信枭不食母与乌不反哺者现在可有多少人也。

（廿三年三月）

再论吃茶

郝懿行《证俗文》一云：

> 考茗饮之法始于汉末，而已萌牙于前汉，然其饮法未闻，或曰为饼咀食之，逮东汉末蜀吴之人始造茗饮。

据《世说》云，王濛好茶，人至辄饮之，士大夫甚以为苦，每欲候濛，必云今日有水厄。又《洛阳伽蓝记》说王肃归魏住洛阳初不食羊肉及酪浆等物，常饭鲫鱼羹，渴饮茗汁，京师士子见肃一饮一斗，号为漏卮。后来虽然王肃习于胡俗，至于说茗不中与酪作奴，又因彭城王的嘲戏，“自是朝贵宴会虽设茗饮，皆耻不复食，唯江表残民远来降者好之”，但因此可见六朝时南方吃茶的嗜好很是普遍，而且所吃的分量也很多。到了唐朝统一南北，这个风气遂大发达，有陆羽卢仝等人可以作证，不过那时的茶大约有点近于西人所吃的红茶或咖啡，与后世的清茶相去颇远。明田艺衡《煮泉小品》云：

唐人煎茶多用姜盐，故鸿渐云，初沸水合量，调之以盐味，薛能诗，盐损添常戒，姜宜着更夸。苏子瞻以为茶之中等用姜煎信佳，盐则不可。余则以为二物皆水厄也，若山居饮水，少下二物以减岚气，或可耳，而有茶则此固无须也。至于今人荐茶类下茶果，此尤近俗，是纵佳者，能损真味，亦宜去之。且下果则必用匙，若金银大非山居之器，而铜又生腥，皆不可也。若旧称北人和以酥酪，蜀人入以白土，此皆蛮饮，固不足责。人有以梅花菊花茉莉花荐茶者，虽风韵可赏，亦损茶味，如有佳茶亦无事此。

此言甚为清茶张目，其所根据盖在自然一点，如下文即很明了地表示此意：

茶之团者片者皆出于碾硙之末，既损真味，复加油垢，即非佳品，总不若今之芽茶也，盖天真者自胜耳。芽茶以火作者为次，生晒者为上，亦更近自然，且断烟火气耳。

谢肇淛《五杂组》十一亦有两则云：

古人造茶，多舂令细，末而蒸之，唐诗家僮隔竹敲茶臼是也。至宋始用碾，揉而焙之则自本朝（案明朝）始也。但揉者恐不若细末之耐藏耳。

×

《文献通考》，茗有片有散。片者即龙团旧法，散者则不蒸而干之，如今之茶也。始知南渡之后茶渐以不蒸为贵矣。

清乾隆时茹敦和著《越言释》二卷，有撮泡茶一条，撮泡茶者即叶茶，撮茶叶入盖碗中而泡之也，其文云：

《诗》云[①]荼苦，《尔雅》苦荼，茶者荼之减笔字，前人已言之，今不复赘。茶理精于唐，茶事盛于宋，要无所谓撮泡茶者。今之撮泡茶或不知其所自，然在宋时有之，且自吾越人始之。案炒青之名已见于陆诗，而放翁《安国院试茶》之作有曰，我是江南桑苎家，汲泉闲品故园茶，只应碧缶苍鹰爪，可压红囊白雪芽。其自注曰，日铸以小瓶蜡纸，丹印封之，顾渚贮以红蓝缣囊，皆有岁贡。小瓶蜡纸至今犹然，日铸则越茶矣。不团不饼，而曰炒青曰苍龙爪，则撮泡矣。是撮泡者对硙茶言之也。又古者茶必有点。无论其为硙茶为撮泡茶，必择一二佳果点之，谓之点茶。点茶者必于茶器正中处，故又谓之点心。此极是杀风景事，然里俗以此为恭敬，断不可少。岭南人往往用糖梅，吾越则好用红姜片子，他如莲菂榛仁，无所不可。其后杂用果色，盈杯溢盏，略以瓯茶注之，谓之果子茶，已失点茶之旧矣。渐至盛筵贵客，累果高至尺馀，又复雕鸾刻凤，缀绿攒红以为之饰，一茶之值乃至数金，谓之高茶，可观而不可食，虽名为茶，实与茶风马牛。又有从而反之者，聚诸干藤烂煮之，和以糖蜜，谓之原汁茶，可以食矣，食竟则摩腹而起，盖疗饥之上药，非止渴之本谋，其于茶亦了无干涉也。他若莲子茶龙眼茶种种诸名色相沿成故，而种种[2]糕餮饼饵皆名之为茶食，尤为可笑。由是撮泡之茶遂至为世诟病。凡事以费钱为贵耳，虽茶亦然，何必雅人深致哉。又江广间有礌茶，是姜盐煎茶遗制，尚存古意，未可与越人之高茶原汁茶同类而并讥之。

王侃著《巴山七种》，同治乙丑刻，其第五种曰《江州笔谈》，卷上有一则云：

乾隆嘉庆间官家宴客，自客至及入席时，以换茶多寡别礼之隆杀。其点茶花果相间，盐渍蜜渍以不失色香味为贵，春不尚兰，秋不尚桂，诸果亦然，大者用片，小者去核，空其中，均以镂刻争胜，有若为饤盘者，皆闺秀事也。茶匙用金银，托盘或银或铜，皆錾细花，髹漆皮盘则描金细花，盘之颜色式样人人各异，其中托碗处围圈高起一分，以约碗底，如托酒盏之护衣碟子。茶每至，主人捧盘递客，客起接盘自置于几。席罢乃啜叶茶一碗而散，主人不亲递也。今自客至及席罢皆用叶茶，言及换茶人多不解。又今之茶托子绝不见如舟如梧橐鄂者。事物之随时而变如此。

予生也晚，已在马江战役之后，儿时有所见闻亦已后于栖清山人者将三十年了。但乡曲之间有时尚存古礼，原汁茶之名虽不曾听说，高茶则屡见，有时极精巧，多至五七层，状如浮图，叠灯草为栏干，染芝麻砌作种种花样，中列人物演故事，不过今不以供客，只用作新年祖像前陈设耳。因高茶而联想到的则有高果，旧日结婚祭祀时必用之，下为锡碗，其上立竹片，缚诸果高一尺许，大抵用荸荠金橘等物，而令人最不能忘记的却是甘蔗这一种，因为上边有“甘蔗菩萨”，以带皮红甘蔗削片，略加刻画，穿插成人物，甚古拙有趣，小时候分得此菩萨一尊，比有甘蔗吃更喜欢也。莲子等茶极常见，大概以莲子为最普通，杏酪龙眼为贵，芡栗已平凡，百合与扁豆茶则卑下矣。凡待客以结婚时宴“亲送”舅爷为最隆重，用三道茶，即杏酪莲子及叶茶，平常亲戚往来则叶茶之外亦设一果子茶，十九皆用莲子。范寅《越谚》卷中饮食门下，有“茶料”一条，注曰：“母以莲栗枣糖遗出嫁女，名此。”又“瞓茶”一条注曰：“新妇煮莲栗枣，遍奉夫家戚族尊长卑幼，名此，又谓之喜茶。”此风至今犹存，即平日往来馈送用提合，亦多以莲子白糖充数。儿童入书房拜蒙师，以茶盅若干副分装莲子白糖为礼，师照例可全收，似向来瞓茶系致敬礼。此所谓茶又即是果子茶，为便利计乃用茶料充之，而茶料则以莲糖为之代表也。点茶用花今亦有之，唯不用鲜花临时冲入，改而为窨，取桂花茉莉珠兰等和茶叶中，密封待用。果已少用，但尚存橄榄一种，俗称元宝茶，新年入茶店多饮之取利市，色香均不恶，与茶尚不甚相忤，至于姜片等则未见有人用过。越中有一种茶盅，高约一寸许，口径二寸，有盖，与茶杯茶碗茶缸异，盖专以盛果子茶者，别有旧式者以银皮为里，外面系红木，近已少见，现所有者大抵皆陶制也。

茶本是树的叶子，摘来瀹汁喝喝，似乎是颇简单的事，事实却并不然。自吴至南宋将一千年，始由团片而用叶茶，至明大抵不入姜盐矣，然而点茶下花果，至今不尽改，若又变而为果羹，则几乎将与酪竞爽了。岂瞓茶致敬，以叶茶为太清淡，改用果饵，茶终非吃不可，抑或留恋于古昔之膏香盐味，故仍于其中杂投华实，尝取浓厚的味道乎？均未可知也。南方虽另有果茶，但在茶店凭栏所饮的一碗碗的清茶却是道地的苦茗，即俗所谓龙井，自农工以至老相公盖无不如此，而北方民众多嗜香片，以双窨为贵，此则犹有古风存焉。不佞食酪而亦吃茶，茶常而酪不可常，故酪疏而茶亲，唯亦未必平反旧案，主茶而奴酪耳，此二者盖牛羊与草木之别，人性各有所近，其在不佞则稍喜草木之类也。

（二十三年五月）

［附记］大义汪氏《大宗祠祭规》，嘉庆七年刊，有汪龙庄序，其《祭器祭品式》一篇中云大厅中堂用水果五碗，注曰高尺三，神座前及大厅东西座各用水果五碗，注曰高一尺。案此即高果，萧山风俗盖与郡城同，但《越谚》中高果却失载，不知何也。

【锺校】

①“云”原作“人”。

②“种种”原作“种”。

鬼的生长

关于鬼的事情我平常很想知道。知道了有什么好处呢？那也未必有，大约实在也只是好奇罢了。古人云，唯圣人能知鬼神之情状，那么这件事可见不是容易办到的，自悔少不弄道学，此路已是不通，只好发挥一点考据癖，从古今人的纪录里去找寻材料，或者能够间接的窥见百一亦未可知。但是千百年来已非一日，载籍浩如烟海，门外摸索，不得象尾，而且鬼界的问题似乎也多得很，尽够研究院里先生们一生的检讨，我这里只提出一个题目，即上面所说的鬼之生长，姑且大题小做，略陈管见，伫候明教。

人死后为鬼，鬼在阴间或其他地方究竟是否一年年的照常生长，这是一个问题。其解决法有二。一是根据我们这种老顽固的无鬼论，那未免文不对题，而且也太杀风景。其次是普通的有鬼论，有鬼才有生长与否这问题发生，所以归根结底解决还只有这唯一一法。然而有鬼虽为一般信士的定论，而其生长与否却言人人殊，莫宗一是。清纪昀《如是我闻》卷四云：

任子田言，其乡有人夜行，月下见墓道松柏间有两人并坐，一男子年约十六七，韶秀可爱，一妇人白发垂项，伛偻携杖，似七八十以上人，倚肩笑语，意若甚相悦，窃讶何物淫妪，乃与少年儿狎昵，行稍近，冉冉而灭。次日询是谁家冢，始知某早年夭折，其妇孀守五十馀年，殁而合窆于是也。

照这样说，鬼是不会生长的，他的容貌年纪便以死的时候为准。不过仔细想起来，其间有许多不方便的事情，如少夫老妻即是其一，此外则子老父幼，依照礼法温清定省所不可废，为儿子者实有竭蹶难当之势，甚可悯也。又如世间法不禁再婚，贫儒为宗嗣而续弦，死后便有好几房扶养的责任，则此老翁亦大可念，再醮妇照俗信应锯而分之，前夫得此一片老躯，更将何所用之耶。宋邵伯温《闻见录》十八云：

李夫人生康节公，同堕一死胎，女也。后十馀年，夫人病卧，见月色中一女子拜庭下，泣曰，母不察，庸医以药毒儿，可恨。夫人曰，命也。女曰，若为命，何兄独生？夫人曰，汝死兄独生，乃命也。女子涕泣而去。又十馀年，夫人再见女子来泣曰，一为庸医所误，二十年方得受生，与母缘重故相别。又涕泣而去。

曲园先生《茶香室三钞》卷八引此文，案语云：

此事甚异，此女子既在母腹中死，一无知识之血肉耳，乃死后十馀年便能拜能言，岂死后亦如在人间与年俱长乎？

据我看来，准邵氏《闻见录》所说，鬼的与年俱长确无疑义。假如照这个说法，纪文达所记的那年约十六七的男子应该改为七十几岁的老翁，这样一来那篇故事便不成立，因为七八十以上的翁媪在月下谈心，虽然也未免是“马齿长而童心尚在”，却并不怎么的可讶了。还有一层，鬼可见人而人不见鬼，最后松柏间相见，翁鬼固然认得媪，但是媪鬼那时如无人再为介绍，恐怕不容易认识她的五十馀年前的良人了罢。邵纪二说各有短长，我们凡人殊难别择，大约只好两存之罢，而鬼在阴间是否也是分道扬镳，各自去生长或不生长呢，那就不得而知了。鬼不生长说似普通，生长说稍奇，但我却也找到别的材料，可以参证。《望杏楼志痛编补》一卷，光绪己[①]亥年刊，无锡钱鹤岑著，盖为其子杏宝纪念者，正编惜不可得。补编中有《乩谈日记》，纪与其子女笔谈，其三子鼎宝生于己卯四旬而殇，四子杏宝生于辛巳[②]十二岁而殇，三女萼贞生于丁亥五日而殇，皆来下坛。记云：

丙申十二月二十一日晚，杏宝始来。问汝去时十二岁，今身躯加长乎？曰，长。

又云：

丁酉正月十七日，早起扶乩，则先兄韵笙与闰妹杏宝皆在。问先兄逝世时年方二十七，今五十馀矣，容颜亦老乎？曰，老。已留须乎？曰，留。

由此可知鬼之与年俱长，与人无异。又有数节云：

正月二十九日，问几岁有知识乎？曰，三岁。问食乳几年？曰，三年。（此系问鼎宝。）

×

三月二十一日，闰妹到。问有事乎？曰，有喜事。何喜？曰，四月初四日杏宝娶妇。问妇年几何？曰，十三。问请吾辈吃喜酒乎？曰，不。汝去乎？曰，去。要送贺仪乎？曰，要。问鼎宝娶妇乎？曰，娶。产子女否？曰，二子一女。

×

五月二十九日，问杏儿汝妇山南好否？曰，有喜。盖已怀孕也。喜见于何月？曰，五月。何月当产？曰，七月。因问先兄，人十月而生，鬼皆三月而产乎？曰，是。鬼与人之不同如是，宜女年十一而可嫁也。

×

六月十二日，问次女应科，子女同来几人？杏儿代答曰，十人。余大惊以为误，反复诘之，答如故。呼闰妹问之，言与杏儿同。问嫁才五年，何得产许多，岂一年产几次乎？曰，是。余始知鬼与人迥别，几与猫犬无异，前闻杏儿娶妇十一岁，以为无此事，今合而观之，鬼固不可以人理测也。

×

十九日，问杏儿，寿春叔祖现在否？曰，死。死几年矣？曰，三年。死后亦用棺木葬乎？曰，用。至此始知鬼亦死，古人谓鬼死曰聻，信有之，盖阴间所产者即聻所投也。

以上各节对于鬼之婚丧生死诸事悉有所发明，可为鬼的生活志之材料，很可珍重。民国二十二年春游厂甸，于地摊得此册，白纸木活字，墨笔校正，清雅可喜，《乩谈日记》及《补笔》最有意思，纪述地下情形颇为详细，因虑纸短不及多抄，正编未得到虽亦可惜，但当无乩坛纪事，则价值亦少减耳。吾读此编，觉得邵氏之说已有副署，然则鬼之生长正亦未可否认欤。

我不信鬼，而喜欢知道鬼的事情，此是一大矛盾也。虽然，我不信人死为鬼，却相信鬼后有人，我不懂什么是二气之良能，但鬼为生人喜惧愿望之投影则当不谬也。陶公千古旷达人，其《归园田居》云："人生似幻化，终当归空无。"《神释》云："应尽便须尽，无复更多虑。"在《拟挽歌词》中则云："欲语口无音，欲视眼无光，昔在高堂寝，今宿荒草乡。"陶公于生死岂尚有迷恋，其如此说于文词上固亦大有情致，但以生前的感觉推想死后况味，正亦人情之常，出于自然者也。常人更执著于生存，对于自己及所亲之翳然而灭，不能信亦不愿信其灭也，故种种设想，以为必继续存在，其存在之状况则因人民地方以至各自的好恶而稍稍殊异，无所作为而自然流露，我们听人说鬼实即等于听其谈心矣。盖有鬼论者忧患的人生之雅片烟，人对于最大的悲哀与恐怖之无可奈何的慰藉，"风流士女可以续未了之缘，壮烈英雄则曰二十年后又是一条好汉"，相信唯物论的便有祸了，如精神倔强的人麻醉药不灵，只好醒着割肉。关公刮骨固属英武，然实亦冤苦，非凡人所能堪受，则其乞救于吗啡者多，无足怪也。《乩谈日记》云：

八月初一日，野鬼上乩，报萼贞投生。问何日，书七月三十日。问何地，曰，城中。问其姓氏，书不知。亲戚骨肉历久不投生者尽于数月间陆续而去，岂产者独盛于今年，故尽去充数耶？不可解也。杏儿之后能上乩者仅留萼贞一人，若斯言果确，则扶鸾之举自此止矣。

读此节不禁黯然。《望杏楼志痛编补》一卷为我所读过的最悲哀的书之一，每翻阅辄如此想。如有大创痛人，饮吗啡剂以为良效，而此剂者乃系家中煮糖而成，路人旁观亦哭笑不得。自己不信有鬼，却喜谈鬼，对于旧生活里的迷信且大有同情焉，此可见不佞之老矣，盖老朽者有些渐益苛刻，有的亦渐益宽容也。

（廿三年四月）

【锺校】

①“已”原作“巳”。

②“已”原作“巳”。

太监

中国文化的遗产里有四种特别的东西，很值得注意，照着他们历史的长短排列起来，其次序为太监，小脚，八股文，雅片烟。我这里想要谈的就是这第一种。

中国太监起于何时？曲园先生《茶香室四抄》卷八有“上古有宦者”一条，结果却是否认，文云：

> 明张萱《疑耀》云，余阅《黄帝针经》，帝与岐伯论人不生须者，有宦不生须之语，则黄帝时已有宦者。按此论见《灵枢经》卷十《五音五味篇》。……《素问》《灵枢》皆托之黄帝，张氏据此为黄帝时已有宦者之证，余则转以此语决其非上古之书也。

据说在舜的时代已有五刑，那么这一类刑馀之人也该有了罢，不过我于史学很是荒疏，有点不大明白，总之到周朝此辈奄人的存在与活动才很确实了。

德国列希忒（Hans Licht）在所著《古希腊的性生活》（一九三二英译本）第二分第七章中讲到阉割云：

> 此盖是东方的而非希腊的风俗。据希拉尼科思说，巴比伦人最初阉割童儿。此种凶行由居洛士大王传入波斯，克什诺芬云。又通行的传说则谓发明此法者系一女人，其人盖即亚叙利亚女王色米拉米思也。

巴比伦盛于唐虞之际，亚叙利亚则在殷初，皆在周以前，中国民族的此种方法究竟是自己发明，还是从西亚学来，现在无从决定，只好存疑，但是在东亚则中国无疑的是首创者与维持者，盖太监在中国差不多已有三千年的光荣的历史了也。

太监的用处在古书上曾略有说明，如《周礼·秋官》掌戮下云："宫者使守内。"郑玄注："以其人道绝也。"又《后汉书·宦者列传》序云：

> 《周礼》……阍者守中门之禁，寺人掌女宫之戒。又云，王之正内者五人。《月令》，仲冬命阉尹审门闾，谨房室。《诗》之《小雅》亦有巷伯刺谗之篇。然宦人之在王朝者其来旧矣，将以其体非全气，情志专良，通关中人，易以役养乎。

二者所说用意相同。这宫者的职务虽然与上下文的

"墨者使守门，劓者使守关"等似是同例，实际上却并不然。脸上有金印与门，没鼻子与关，都无直接的关系，唯独宫者因其人道绝所以令看守女人，这比请六十岁白胡子老头儿当女学校长还要可靠，真可以算是废物利用的第一良策了。希腊罗马称太监曰典床（Eunuokhos），亦正是此意。

照《周礼》看来是必先有宫者而后派他去守内，那么这宫刑是处罚什么罪的呢？《尚书大传》说："男女不以义交者其刑宫。"揆之原始刑法以牙报牙之例是很有道理的，但毕竟是否如此单纯也还是问题，如鼎鼎大名的太史公之下蚕室就全为的是替李陵辩护，并不由于什么风化案件，大约这只是减死一等的刑罚罢了。倒是在明初却还有那种与古义相合的办法，据蒋一葵《尧山堂外纪》云：

> 洪武间金华张尚礼为监察御史。一日作宫怨诗云：庭院沉沉昼漏清，闭门春草共愁生，梦中正得君王宠，却被黄鹂叫一声。高帝以其能摹写宫阃心事，下蚕室死。

老实说这诗并不怎么好，也不见得写出宫阃心事，平白地按照男女不以义交办理，可谓冤枉，不过这总可算是意淫之报，有如《玉历钞传》等书中所说。徐釚编《本事诗》卷二载高启《宫女图》一绝句，又引钱谦益语云：

吴中野史载季迪因此诗得祸，余初以为无稽，及观国初昭示诸录所载李韩公子侄诸小侯爰书及高帝手诏豫章侯罪状，初无隐避之词，则知季迪此诗盖有为而作，讽谕之诗虽妙绝今古，而因此触高帝之怒，假手于魏守之狱，亦事理之所有也。

此与张尚礼事正相类，只是没有执行宫刑，却借了别的不相干的事处了腰斩，所以与我们现在所说的问题似无直接的关系罢了。

肉刑到了汉朝据说已废止了，后来的圣主如明高皇帝有时候高兴起来虽然也还偶尔把一两个监察御史去下蚕室，以为善摹写宫阃心事者戒，可是到底没有大批的执行，要想把这些宫者去充内监使用，实在有点供不应求，因此只得另想方法，从新制造了。明朝太监的出产地听说多在福建，清朝则移到直隶的河间。其制造法未得详知，偶见报上记载恐亦多道听涂说，大抵总如巴比伦的阉割童儿罢。宋长白《柳亭诗话》卷十七云：

明制，小阉服药后过堂，令诵二月二十二一句，验其口吃与否。此五字见李义山集，二月二十二，木兰开拆初。服药者，初为椓人也。事隶兵部。

二月二十二这一句话我想未必一定出于李义山，大约只因为有好几个二字，仿佛是拗口令，可以试验口齿伶俐与否，但是使我们觉得很有意思的却是事隶兵部这句话。为什么小阉过堂是属于兵部的呢？据魏濬《峤南琐记》（《砚云乙编》本）云：

> 汪直，藤峡瑶，藤峡平后以俘入。初正统间尝令南方征剿诸峒，幼童十岁以下者勿杀，割去其势，不死则养之，以备净身之用。此真所谓刑馀也。

这大约只是偶然一回，未必是成例，恰巧与兵部有点相关，所以抄来做材料，也可以知道奄人的别一来源耳。

《顺天府志》卷十三“坊巷志”上本司胡同条引明于慎行《谷城山房笔麈》云：

> 正德中乐长臧贤甚被宠遇，曾给一品服色。相传教坊司门曾改方向，形家见之曰，此当出玉带数条。闻者笑之。未几上有所幸伶儿，入内不便，诏尽宫之，使入为钟鼓司官，后皆赐玉。

又沈德符《敝帚斋馀谈》（《砚云乙编》）亦云：

> 正德间教坊司改造前门，有过之者诧曰，异哉术士也，此后当出玉带数条。闻者失笑。未几

上爱小优数人，命阉之，留于钟鼓司，俄称上意，俱赏蟒玉。

游龙戏凤的皇帝偶尔玩一点把戏，原是当然的，水乡小孩看见螃蟹，心想玩弄，却又有点害怕，末了就把蟹的两只大钳折去了，拿了好玩，差不多是同样的巧妙的残酷罢。

太监是一个很有兴趣的题目，却有很深长的意义。说国家会亡于太监，在现今觉得这未必确实，但用太监的国家民族难得兴盛，这总是可以说的了。西欧各国无用太监者，就是远东的日本也向来没有太监，他们不肯残毁人家的支体以维男女之大防，这一点也即是他们有人情有生意的地方。中国太监制度现在总算废除了，可是有那么长的历史存在，想起来不禁悚然，深恐正如八股虽废而流泽孔长也。

（廿三年五月）

［附记］案《茶香室丛抄》卷三有“王振教官出身”一条云：

国朝黎士宏《仁恕堂笔记》云，黄溥《今古录》载，永乐末诏取学官考满乏功绩者，审有子女，愿自净身，许入宫中训女官，时有十馀人，后独王振官至太监。王振之恶备具史册，而云出身教官，此事未经闻见，至奉诏以教官净身供奉内庭，尤从古未有之事。

徐树丕《识小录》亦载此说而未详备。阉割教官，殆承庭训，未足为异。《丛抄》又有“宦官八字”一条，引《癸辛杂识别集》云：

凡宦官初阉，名曰服药，则以名字申兵部。看命则看服药日，可不用始生日时，故常择善良日时乃腐。

此乃与和尚出家，以此计岁，称僧腊相同也。

缢女图考释

中华民国二十二年十月九日有女子李静淑自缢于北京大学之西斋，越五日《世界画报》上登出一张照片来，表示“尚悬窗上时之情景”。我们愚笨的想像，以为案情发觉之后学校当局以及警察必定先行解救，到了实在没有希望，这才办理检验手续，一方面报馆报告事实，或者去找到一张相片登入，使我们知道死者在世时是这样一个人。然而不然。当局让她直挂在原处一日一夜，而报上来一张图画使大家看看当时情景。愚笨的头脑于是完全失败，预料固然不对，即想了解此中意义亦复不可得。第一件的理由据说是为的免避“法律纠纷”。我想既然呈报吊死，那么岂可不吊在那里，还有一层，假如放了下来居然救活，虽然添一活人，岂不也就少一死人，正如笑话里的“和尚有了，我却何在”，如何交代得出去，于是纠纷就起来了。这个解释勉强敷衍过去，关于第二件却似乎没有这样容易解答，须得多费点心去想才好。

有人说这是尸体赏鉴的一种嗜好。日本人类学民俗学杂志 *Dolmen* 上边有加贺友子讲中国的死刑的一篇文章，说及张大元帅时代到梅兰芳家里去敲竹杠而被枭首的某少年，许多人都去看挂在电杆上的头，末了说这是中国民族的特质，没有孟子所谓恻隐之心。不过这未必可靠，日本女流的话固然难免有心毁谤，再说这些示众的事在外国也是普通，在法国戴恩所著《英国文学史》第三卷第一章讲王政复古的地方便曾说起，虽然后边很加上不敬的批评，难怪人家很多说他是落了伍。他说英王复辟之后旧官僚又得势，种种的残杀异己，又将叛党剖[①]棺戮尸：

> 克林威耳，爱耳敦，勃拉特萧的腐烂的尸体在夜里掘了起来，他们的头拿来插竹竿上竖在议会堂上。贵妇人们都去看这可怕的景象，那良善的伊佛林拍手喝采，廷臣们作歌咏叹。这些人们堕落到如此，见这景象也并不觉得不舒服。视觉与嗅觉不复能帮助人类使他发生嫌恶，他们的感官与他们的心一样的死了。

但是这种景象也有人并不以为可嫌恶，因为这有道德的作用，十八世纪时有些作家都如此想，有儿童文学的作者如谢五德太太便很利用绞架为教材。哲木斯在《昨日之儿童的书》引论中说，他们诚实的相信，恶人的公平而可怕的果报的恐吓应该与棍子和药碗天天给孩子们服用，这在现代儿童心理学的泰斗听了很会感到不安。这恐怕是实在的，但在那时却都深信绞架的价值，所以也不见得一定会错。现在且举谢五德太太的大著《费厄却耳特家》为例，两个小儿打架，费厄却耳特先生想起“气是杀人媒”的话，便带领他们往一个地方去，到来看时原来是一座绞架。“架上用了锁索挂着一个男子的身体，这还没有落成碎片，虽然已经挂在那里有好几年了。那身体穿了一件蓝衫，一块丝巾围着脖子，穿鞋着袜，衣服一切都还完全无缺，但是那尸体的脸是那么骇人，孩子们一看都不敢看。”这是一个杀人的凶手，绞死了示众，直到跌落成为碎片而止。费厄却耳特先生讲述他的故事，一阵风吹来摇动绞架上的死人，铁索悉率作响，孩子们骇得要死，费厄却耳特先生还要继续讲这故事，于是结果圆满，两个小孩跪下祷告，请求改心。

这真是有益于世道人心的话，在中国此刻现在抄来讲讲，总是有利无损的。不过上面所说的都是罪人示众，与平常自尽的不同，所以无论怎样地讲得头头是道，也总有点儿文不对题。那么，这还得回过头来另找例子。吊死的人大约古已有之，而且也一定不少，可是后来脍炙人口，一直欣赏不厌者似乎又不大多，——多谢读过《唐诗三百首》的好处，不久就想出了杨贵妃太真玉环，“宛转蛾眉马前死”，正是最好的例子。某文人曾经说过，中国古今文人喜欢吊死人的膀子，这确是实情，冥通幽媾的故事固已汗牛而充栋，即不然也至少要写些艳词以表示其“颇涉遐想”之至意。听说玉环有罗袜流落人间，一千年来直使得老少文人都瞪青了眼睛，哼了多少有趣的诗文，历代相传几乎成为一种痁疾。闲言少说，且找证据，一把抓住了《疑雨集》的著者王次回。他有一篇《邻女哀词》，可以算是承先启后的大作。序云：“邻女有自经者，不晓何因，而里媪述其光艳皎洁，阅日不变，且以中夜起自结束，选彩而衣，配花而戴，于绾髻涂妆，膏唇耀首，以至约缣迫袜，皆着意精好，尽态极研，而始毕命焉。”这与十一日报上所载死者“系一时髦女生，貌颇韶秀，衣灰色线呢短袖长旗袍，外罩淡黄色绒线马褂，形状并不可怕，舌头亦未露出”，差不多是同一情调。至于诗句尤多妙语，如起四语云，“明姿靓服严妆乍，垂手亭亭俨图画，女伴当窗唤不应，还疑背面秋千下”，就是很好的缢女图题辞。再云，“素颈何曾着啮痕，却教反缚同心结”，又云，“千春不改凝酥面，媚眼微媚若流盼”，则大吊其膀子。复云，“当时犀纛定沉埋，绣袜何人拾马嵬，乞取卿家通替样，许盛银液看千回”，既显然表出杨太真的联想，又想学寄奴后人的样，主意十分鲜明了。据《南史》，殷淑仪死后，宋孝武时常想念，遂[2]为通替棺，欲见则引替睹尸，如此积日，形色不异。王次回以为棺中该加水银，史上虽无明文，亦属自有见地。其实可惜的还是当时没有泰西照相法，不然只须一张干片了事，用不着这些麻烦了。

我们靠了徐电发《本事诗》的帮助，得读王次回的诗，得知尸体赏鉴的意义，这是很可感谢的。但是我们毕竟是凡人，受教之后再去想想看看，也总不感到什么兴趣。再想那李姓女子，生前认识了一个男人，旋被遗弃，家里又很顽固，迫得上吊毕命，遗言只愿穿上红袍，死后挂上一天一夜，殓时据报载家里也没有人到，只派两个听差来，这也就够凄惨了。不幸的人，我们对于她不能有什么一点供养，只希望她的苦辛屈辱就此完毕，早早入土为安，身灭名没，归于空虚，不要再被人说及以至想起。何苦来再留下一张悬于窗上的照片供千百人的随喜赏玩，此虽或有惬于文人画家之雅鉴，吾们凡人乃终不能解也。审如是也，吾之考释又岂靠得住乎。

（廿二年十月二十日）

【锺校】

①“剖”原作“割”。

②“遂”原作“近”。

姑恶诗话

小时候常听见姑恶叫声，大抵在黄昏阴雨时，声甚凄苦，却总不知道她是什么形状。近日阅《西青散记》，卷二有这样的一节文章：

> 段玉函自横山唤渡，过樊川，闻姑恶声，入破庵，无僧，累砖坐佛龛前，俯首枕双膝听之，天且晚，题诗龛壁而去。姑恶者，野鸟也，色纯黑，似鸦而小，长颈短尾，足高，巢水旁密筱间，三月末始鸣，鸣自呼，凄急。俗言此鸟不孝妇所化，天使乏食，哀鸣见血，乃得曲蟺水虫食之。鸣常彻夜，烟雨中声尤惨也。诗云，樊川塘外一溪烟，姑恶新声最可怜，客里任他春自去，阴晴休问落花天。

《本草纲目》中说："今之苦鸟，大如鸠，黑色，以四月鸣，其鸣曰苦苦，又名姑恶，人多恶之，俗以为妇被其姑苦死所化，颇与伯奇之说相近。"在《鸟的故事》中有一篇湖南传说，说童养媳为姑所苦，“跑入塘内，变了一种黑色水凫般的小鸟，我们叫她苦娃子”。又江西称苦哇鸟，据说有不孝妇以大蚯蚓代鳅鱼给盲目的老姑吃，被丈夫覆在空禾桶里，过了七日变成一只[1]禾鸡飞去，啼曰苦哇。“以后她只在半夜三更的水田里凄声哀号，直到她眼中叫出血来，才有一条蚯蚓出来给她果腹。”这样看来，姑恶的形状大概已可知道，是一种黑色似鸠的水鸟，虽然是否即是伯劳还是疑问。普通说这是妇被姑虐死，但也说是不孝妇，据《西青散记》及《鸟的故事》所说，可知江苏江西即系同一传说也。

光绪戊寅侯官观颒道人集录禽言为《小演雅》三卷，姑恶项下录诗十数首。其最早者为苏轼《五禽言》云：

姑恶，姑恶。

姑不恶，妾命薄。

君不见，东海孝妇死作三年干，

不如广汉庞姑去却还。

原注：“姑恶，水鸟也，俗云妇以姑虐死，故其声云。”次为范成大《姑恶诗》，序曰：

姑恶，水禽，以其声得名，世传姑虐其妇，妇死所化。东坡诗云，姑恶，姑恶，姑不恶，妾命薄。此句可以泣鬼神。余行苕霅，始闻其声，昼夜哀厉不绝。客有恶之以为此必子妇之不孝者，余为《后姑恶诗》曰：

姑恶妇所云，恐是妇偏辞。

姑言妇恶定有之，妇言姑恶未可知。

姑不恶，妇不死。

与人作妇亦大难，已死人言尚如此。

陆游《夜闻姑恶诗》，虽非禽言而意特悲凉，其词曰：

湖桥东西斜月明，高城漏鼓传三更，

钓船夜过掠沙际，蒲苇萧萧姑恶声。

湖桥南北烟雨昏，两岸人家早闭门，

不知姑恶何所恨，时时一声能断魂。

天地大矣汝至微，沧波本自无危机，

秋菰有米亦可饱，哀哀如此将安归。

提到放翁，总容易叫人想起沈园的事情来。毛晋题所刻《放翁题跋》后云：

余于渭南县伯诸书，已七跋矣，又复何言，但其咏《钗头凤》一事，孝义兼挚，更有一种啼笑不敢之情，溢于笔墨之外，故并记之。案放翁初娶唐氏，闳之女也，伉俪相得，弗得于姑，出之，未忍绝，为别馆往焉，姑知而掩之，遂绝。后改适同郡宗子士程，尝于春日出游，相遇禹迹寺南之沈氏园，放翁怅然赋一词[2]云：“红酥手，黄藤酒，满城春色宫墙柳。东风恶，欢情薄，一怀愁绪，几年离索，错错错。春如旧，人空瘦，泪痕红浥鲛绡透。桃花落，闲池阁，山盟虽在，锦书难托，莫莫莫。”令人不能读竟。

据《齐东野语》卷一所记，这是在绍兴乙亥（一一五五），放翁三十二岁，到了庆元己未（一一九九），那时放翁已经七十六岁了，又有题沈园的两绝句：

城上斜阳画角哀，沈园非复旧池台。
伤心桥下春波绿，曾是惊鸿照影来。

×

梦断香消四十年，沈园柳老不飞绵。
此身行作稽山土，犹吊遗踪一泫然。

这两首诗收在曾国藩的《十八家诗钞》里，虽然五十六个字没有得到一个圈，我却以为这可以见放翁的真性情，很使人感动。清道光时周晋鑅著《越中怀古百咏》，其沈园一律末联云：“寺桥春水流如故，我亦踟蹰立晚风。”沈园不知早到哪里去了，现在只剩了一片菜园。禹迹寺还留下一块大匾，题曰古禹迹寺，里边只有瓦砾草莱，两株大树。但是桥还存在，虽是四十年前新修的圆洞石桥，大约还是旧址，题曰春波桥，即用放翁诗句的典故，民间通称罗汉桥，是时常上下的船步，船“头脑”汤小毛氏即住在桥侧北岸，正与沈园相对。越城东南一隅原也不少古迹，怪山，唐玉潜墓，季彭山故里，王玄趾投水的柳桥，但最令人惆怅者莫过于沈园遗址。因为有些事情或是悲苦或是壮烈，还不十分难过，唯独这种啼笑不敢之情，深微幽郁，好像有虫在心里蛀似的，最难为怀。数百年后，登石桥，坐石阑上，倚天灯柱，望沈园墙北临河的芦荻萧萧，犹为怅然。——是的，这里怅然二字用得正好，我们平常大约有点滥用，多没有那样的切贴了。

照我们看来，宋诗人对于姑恶的话都说得不坏，东坡石湖能体察人情，一面却也不敢冲撞礼教，所以有那一套敦厚温柔的气味，放翁恐怕因为有沈园的事，故不好来做正面的文章，然而那样地做却似乎更有幽怨之意了。明清以来作者，据《小演雅》所录，就有七八个，可是不知怎的简直有点不行，他们仿佛比宋人还要是宋朝的，这就是说道学气之重。如李梦阳诗云：

> 姑恶，姑恶，
> 小姑刺龊姑不乐。
> 新妇早煮馆，
> 低声奉小姑。

又张瑄诗云：

姑恶，姑恶，
新妇何曾自认错，
人家有姑无此恶。
姑生女，作人妇，
姑不恶，妇则乐。

又梁佩兰诗云：

姑恶，姑恶，
新妇不得姑乐。
姑恶犹可，
小姑诼我。

观颓道人诗云：

苦苦苦，
堂上姑，吃妇乳，
小姑终日声如虎。

查慎行诗云：

野有慈姑，其叶沃若。
孝妇之口，忍云姑恶。

刘逢升诗云：

姑恶，姑恶，
姑有何恶儿妇薄。
妇之恶兮姑忘却，

姑之恶兮妇言作。

东邻乳姑暮复朝，

西家灶爇婆饼焦。

反汝长舌称姑贤，

子为父隐理当然。

李联琇诗云：

姑恶姑恶，姑蒙恶名，

匪姑虐妇，自戕厥生。

母氏圣善，我无令人。

臣罪当诛，天王圣明。

这头几个人都说姑并不恶，或者只是小姑不好罢，到了末后两位则大放厥辞，简直不知说的什么了。本来禽言之类是做不好的，要切定题字，上焉者只是借题发挥，否则赋得枯窘题罢了。姑恶题目牵涉到伦常，无论如何做法总不能不说到这上头去，这就给了诗人们一个难题，不但要考文章的优劣，而且也考出他们思想的明暗，性情的厚薄来。在这里，明清的考生似乎都难免考了丁戊：这虽然是句游戏话，但想起来却也是很有意义的一件事。

（二十一年三月十五日）

不失先生来索稿，别无可贡献，只得以此塞责。

正阅陶及申《筠庵文选》，《题五陵氏游记》中云，五陵“好听禽，为禽言多至八十首”，惜在康熙时已经“会稽人多不识”，予生也晚，更无从得见此禽言大全了，想起来实在可惜。

（二十七日附记）

【鄢校】

①“只”原作“双”。

②“词”原作“调”。

画蛇闲话

《困学纪闻》卷十八云："朱新仲咏昭君云，当时夫死若求归，凛然义动单于府，不知出此肯随俗，颜色如花心粪土。"阎若璩注："《后汉书》南匈奴传，呼韩邪死，前阏氏子欲妻之，昭君上书求归，成帝敕令从其俗。"何焯注："昭君只当惜其沦落，无容更求备也，欲论高而至不近情，文章所戒。"又云："新仲不知《后汉书》中本有求归事，未深谅其曲折，岂不蒙冤哉。"何义门评注多盛气凌人，有时亦不免如全谢山所说露出批尾家当，俞理初更斥之为用批时文法批书，但是这里的批语，特别是头一条，却很有情理。大抵深宁本不长于诗，又受了宋朝河南派的习气，喜欢说理论事一类的诗，故其评诗一卷中所标举的佳句难免多如何云"以诗论总不佳"，朱新仲亦正其一例。三笺中程易田却强为之辩云："新仲诗正是蓝本《后汉书》，观诗中一肯字，言敕令从俗即肯随之也。”但是我们观诗中当时若求归五字又不知出此四字，却正与《后汉书》昭君上书求归六字相抵触，何也？惜不能起程君于九原而问之也。

《鹤林玉露》卷十二云：

胡澹庵十年贬海外，北归之日饮于湘潭胡氏园，题诗云，君恩许归此一醉，傍有梨颊生微涡，谓侍妓黎倩也。厥后朱文公见之题绝句云，十年浮海一身轻，归对梨涡却有情，世上无如人欲险，几人到此误平生。文公全集载此诗，但题曰《自警》云。

我去查《四部丛刊》本《朱文公文集》，在第五卷里查着，题曰“宿梅溪胡氏客馆观壁间题诗自警二绝”，其诗云：

贪生莝豆不知羞，腼面重来蹑俊游。

莫向清流浣衣袂，恐君衣袂涴清流。

×

十年湖海一身轻，归对梨涡却有情。

世路无如人欲险，几人到此误平生。

接着又是一首七绝，题曰“择之所和生字韵语极警切次韵谢之兼呈伯崇”，其诗云：

不是讥诃语太轻，题诗只要警流情。

烦君属和增危惕，虎尾春冰寄此生。

抄完这三首诗，我坐着想了许久，这是什么诗？是圣贤之诗乎，诗人之诗乎？《鹤林玉露》卷六云："胡澹庵上章荐诗人十人，朱文公与焉，文公不乐，誓不复作诗，迄不能不作也。"则文公自承不是诗人，且诗人之风必当敦厚温柔，而此则否，其非诗人之诗明矣。然则其圣贤之诗乎？其或然也，予所不能知矣。我所觉得奇怪者，只在胡澹庵因请斩秦桧而被贬十年之后，在席间留恋一歌妓的笑靥，便被狗血喷头的痛骂，而骂的诗又传为美谈。王渔洋在《万首绝句选》凡例中说唐人诗有最可笑者，下断语云："当日如何下笔，后世如何竟传，殆不可晓。"予于此亦云。

《癸巳存稿》卷十二云：

> 秦观词云，醉卧古藤阴下，了不知南北。王铚《默记》以为其言如此，必不能至西方净土，其论甚可憎也。宋阳谷周文璞有《浪淘沙》云，鹅黄雪白一醒然，一事最奇君听取，明日新年。张雨《贞居词》和之云，自家天地一陶然，醉写桃符都不记，明日新年。张又有《早春怨》云，半剔银缸，片时春梦，过了元宵。其闲适之意，真净土也。《侯鲭录》，东坡举一鬼诗云，湘中老人读黄老，手援紫蘲坐碧草，春至不知湘水深，日暮忘却巴陵道。言此必子建太白鬼，亦秦词流

亚。张辑《谒金门》云，楼外垂杨如此碧，问春来几日。吴琚《浪淘沙》云，几日不来春便老，开尽桃花。又云，时有入帘双燕子，明日清明。朱敦儒《好事近》云，经过子陵滩畔，得梅花消息。又云，长醉是良策，昨夜一江风雨，都不曾听得。盖流连光景，人情所不能无，其托言不知，意本深曲耳。

俞理初的确可以说是嘉道时豪杰之士，其《癸巳存稿》《类稿》都值得阅读，关于宗教的好些研究固可佩服，见识思想之宽博尤可礼赞，这一节里略见一斑，甚可憎也一语说得极妙，我于此忽然贯通，觉得上边所举两位朱先生的诗与其态度，均可以此语包括之。大抵言文学者多喜载道主义，又不能虚心体察，以至物理人情都不了解，只会闭目诵经，张目骂贼，以为卫道，亦复可笑也。欲言文学须知人生，而人生亦原以动物生活为基本，故如不于生物学文化史的常识上建筑起人生观，则其意见易流于一偏，而与载道说必相近矣。此事即在科学教育发达的现在犹未易言，然则对于六七百年前的宋人亦可不必过于责备了罢。

（二十二年十月）

论妒妇

俞正燮《癸巳类稿》卷十三有《妒非女人恶德论》，见识明达，其首节云：

> 妒在士君子为恶德，谓女人妒为恶德者非通论也。古见官文书者，宋明帝以湖孰令袁慆妻妒忌赐死，使近臣虞通之撰《妒妇记》。又以公主多妒，使人代江敩撰辞婚表，见《宋书》后妃传。有云，姆奶争媚，相劝以严，妮媪竞前，相谄以急。声影才闻，少婢奔进，裾袂向席，老丑丛来。

到底六朝人有风致，这些描写都很妙，唐人所著《黑心符》专讲怕老婆的，或者可以相比。我在这里不禁想到世上所称的妒妇之威实在只是惧内之一面，原来并不是两件事情。明谢肇淛著《五杂组》卷八有好些条都是论妒妇的，其一云：

> 妒妇相守，似是宿冤。世有勇足以驭三军而

威不行于闺房，智足以周六合而术不运于红粉，俯首[1]低眉，甘为之下，或含愤茹叹，莫可谁何。此非人生之一大不幸哉。

谢氏的意思大约与魏元孝友仿佛，以为一夫多妻是天经地义，假如“举朝既是无妾，天下殆将一妻”，那就太不成话了，然而没有办法，其原因只是怕耳。平常既是怕了，到了这最有利害关系的问题上，一方面自然更是严急，一方面也就更弄不好，又怕又霸，往往闹得很糟。《五杂组》又有一条云：

人有为妒妇解嘲者曰，士君子情欲无节，得一严妇约束之，亦动心忍性之一端也，故谚有曰，到老方知妒妇功。坐客不能难也。余笑谓之曰，君知人之爱六畜者乎？日则哺之，夜则防护栅栏，惟恐豺狸盗而啖之，此岂真爱其命哉，欲充己口腹耳，为畜者但知人之爱己而不知人之自为也，妒妇得无似之乎。众乃大笑。

《妒非女人恶德论》中亦有类似的一节云：

《韩非子》内储说六微二云，卫人有夫妻祷者，而祝曰，使我无故得百束布。其夫曰，何少也？对曰，益是子将以买妾。《意林》，《典论》云，上洛都尉王琰[2]以功封侯，其妻泣于内，恐富贵更娶妻妾。《三国志》袁绍传注鱼豢《典略》亦同。此其夫必素佻达者。

这两则都写得很幽默又很痛快，但比较起来，富买妾贵易妻的行为至少总是佻达，而合理的充口腹却还是人情耳。俞正燮论定之曰，妒者妇人之常情，正是明言。但明遗民徐树丕说得更妙，见所著《识小录》卷一，题曰《戏柬客》，原文云：

有客与细君反目，戏柬贻之。——妇人不妒，百不得一，然而诚大难事。试作平等心论之，不妒妇人正与亡八对境。有一男子于此，帷薄微污，相与诋呵斥辱，去之唯恐不远。有一妇人于此，小星当户，相与叹羡称扬，不啻奇珍异端。岂思欲恶爱憎，男女未尝不同，何至宽严相反若是？恐周姥设律定不尔尔也。——投笔为之大噱。

活埋庵道人是三百年前人物，乃有此等见识，较俞氏尤为彻透，可谓难得矣，即如今智识界的权威辈亦岂能及，此辈盖只能说说投机话耳，其佻达故无异于老祖宗也。

【锺校】

①“首”原作“音”。

②“琰”原作“玉”。

论泄气

俞曲园先生《茶香室三钞》卷六论大小便及泄气一条中引明李日华《六砚斋三笔》云：

> 李赤肚禁人泄气，遇腹中发动，用意坚忍，甚有十日半月不容走泄，久之则气亦静定，不妄动矣。此气乃谷神所生，与我真气相为联属，留之则真气得其协佐而日壮，轻泄之，真气亦将随之而走。

后又加案语颇为幽默：

> 案《东山经》云，泚水多茈鱼，食之不糟。糟即屁字。《玉篇》尸部，屁泄气也，米部，糟失气也，二字音近义同。然则如此鱼者，殆亦延年之良药耶？

中国的修道的人很像是极吝啬的守财奴，什么一点东西都不肯拿出去，至于可以拿进来的自然更是无所不要了。大抵野蛮人对于人身看得很是神秘，所以有吃人种种礼俗，取敌人的心肝脑髓做醒酒汤吃，就能把他的勇气增加在自己的上面。后代的医药里还保留着不少的遗迹，一方面有孝子的割股，一方面有方书上的天灵盖紫河车，红铅秋石，人中白人中黄，至今大约还很有人爱用，只是下气通这一件因为无可把握，未曾被收入药笼中，想起来未始不是一桩恨事。唯一的方法只有不让他放出去，留他在腹中协佐真气，大有补剂的效力，这与修道的咽自己的吐沫似是同样的手段，不过更是奇妙，却也更为难能罢了。

在某种时地泄气算是失仪。史梦兰的《异号类编》卷七引《乐善录》云："邵篪以上殿泄气，出知东平。邵高鼻圈鬈发，王景亮目为泄气师子。"记得孙中山先生说中国人的坏脾气，也有两句云："随意吐痰，自由放屁。"由此看来，在礼仪上这泄气的确是一种过失，不必说在修道求仙上是一个大障碍了。但是，仔细一想，这种过失却也情有可原，因为这实在是一种毛病。吐痰放屁，与呕吐遗矢溺原是同样的现象，不过后者多在醉倒[1]或惊惶昏瞀中发现，而前者则在寻常清醒时，所以其一常被宽假为病态，其他却被指斥为恶相了。

其实一个人整天到晚咯咯的吐痰，假如不真是十足好事去故意训练成这一套本领，那么其原因一定是实在有些痰，其为呼吸系统的毛病无疑。同样的可以知道多泄气者亦未必出于自愿，只因消化系统稍有障害，腹中发生这些气体，必须求一出路耳。上边所说的无论哪一项，失态固然都是失态，但论其原因可以说是由于卫生状况之不良，而不知礼不知清洁还在其次。那么归根结底神仙家言仍是不可厚非，泄气不能成为仙人，也就不能成为健全国民，不健全即病也。病固可原谅，然而不能长生必矣。

中国人许多缺点的原因都是病。如懒惰，浮嚣，狡猾，虚伪，投机，喜刺激麻醉，不负责任，都是因为虚弱之故，没有力气，神经衰弱，为善为恶均力不从心，故至于此，原不止放屁一事为然也。世有医国手不知对于此事有何高见与良方，若敝人则对于医方别无心得，亦并无何种弟子可以负责介绍耳。

【锺校】

①“醉倒”原作“倒醉”。

论伊川说诗

王若虚《滹南遗老集》卷三十九有一节云：

> 欧公寄常秩诗云，笑杀汝阴常处士，十年骑马听朝鸡。伊川云，夙兴趋朝非可笑事，永叔不必道。夫诗人之言岂可如是论哉，程子之诚敬亦已甚矣。

周亮工《因树屋书影》卷三也有一节云：

> 程正叔见秦少游，问："'天知否，天还知道，和天也瘦'是学士作耶？上穹尊严，安得易而侮之？"此等议论，煞是可笑。与其为此等论，不如并此词不入目，即入目亦置若不见。

碰巧这两件故事都是小程先生的，如今抄在一起，好像有点故意和他老人家为难，其实全是偶然，不过拿来当做载道派的文学批评的实例罢了。舒白香在《游山日记》卷六中有一大段文章很挖苦这派的人，今摘抄其一部分：

周濂溪，亦大儒也，宜朝朝体认经疏，代圣立言，讲之作之，津津而说之，那得闲情著爱莲之说，留心小草，庸人必讥其玩物丧志。

陶渊明，古豪杰也，家贫妻子饿，不为禄仕，已近乎骨肉无情，尤甚者饥至乞食，叩门无辞，但期冥报，庸人必讥其迂诞无耻。所交亦不过刘逸民周续之一二无志于功名之士，甚至入白莲之社，与惠远谈空说有，庸人又讥其攻乎异端，近乎邪教，宜乎其不贵达也。

舒白香[①]的话说得很畅快，不过平心论之，载道派的人也未始没有可原谅处，王若虚所云诚敬二字倒很切贴，这差不多把他们的短长都包括在内了。载道派的意见根本是唯心的，他们以为治国平天下全在正心诚意，平常静坐深思，或拱手讲学，或执笔为文，所想所说所写应该无一不是圣道，其效能使国家自治天下自平，盖神秘不亚于金刚法会焉。此种教徒的热忱自可佩服，但除此以外殊无用处，以此弄政治则误国，以此谈文学亦未免贻讥。有兔爰爰，雉罹于罗云云，感伤身世，可谓至矣，现今的人读了更有同情，在载道派则恐要一则指摘其不能积极地引导革命，次则非难其消极地鼓吹厌世，终则或又申斥其在乱世而顾视雉兔加以歌咏也。此在伊川之徒或亦自成一家言，但讲道学可而说诗则不可耳。

【锺校】

①原无“香”字，今增。

苦茶庵小文

一　小引

语堂索稿，不给又不可，给又没有东西。近几年来自己检察，究竟所知何事，结果如理故纸，百之九十九均已送入字纸篓中，所馀真真无几矣。将此千百分中残馀的一二写成文章，虽然自信较为可靠，但干枯的木材与古拙的手法，送出去亦难入时眼也。吾辈作文还是落伍的手工艺，找到素材，一刨一刨的白费时光，真是事倍功半，欲速不能，即使接到好些定单，亦不能赶早交货，窃思此事如能改为机器工业，便不难大量生产，岂不甚妙，而惜乎其不能也。不得已，只好抄集旧作以应酬语堂，得小文九篇。不称之曰小品文者，因此与佛经不同，本无大品文故。鄙意以为吾辈所写者便即是文，与韩愈的论疏及苏轼的题跋全是一类，不过韩作适长而恶，苏作亦适短而美，我们的则临时看写得如何耳。清朝士大夫大抵都讨厌明末言志派的文学，只看《四库书目提要》骂人常说不脱明朝小品恶习，就可知道，这个影响很大，至今耳食之徒还以小品文为玩物丧志，盖他们仍服膺文以载道者也。今所抄文均甚短，故曰小文，言文之短小者尔，此只关系篇幅，非别有此一种文也。

廿三年四月十八日。

二　春在堂所藏苦雨斋尺牍跋三则

平伯出示一册，皆是不佞所寄小简，既出意外，而平伯又嘱题词，则更出其表矣。假如平伯早说一声，或多写一张六行书裱入亦无不可，今须题册上，乃未免稍为难耳。不得已姑书此数语，且以塞责，总当作题过了也。

十八年四月四日，岂明。

平伯来信说将裱第二册账簿，并责写前所应允之六行书，此题目大难，令我苦思五日无法解答，其症结盖在去年四月四日不该无端地许下了一笔债，至今无从躲赖，但这回不再预约，便无妨碍了。至于平伯要裱这本账簿，则不佞固别无反对也。

十九年九月十五日晨于煅药庐，岂明。

不知何年何月写了这些纸，平伯又要裱成一册账簿，随手涂抹，殃及装池，其可三乎。因新制六行书，平伯责令写一张裱入，亦旧债也，无可抵赖。但我想古槐书屋尺牍之整理盖亦不可缓矣。

二十一年二月十五日于苦茶庵，尊。

三　与某君书

手教敬悉。承惠赐贵刊及刊物，至感，愧无木瓜以奉报琼瑶耳。天马书店详细未知，因有浙五中旧生在内，命自选一集，故以《知堂文集》予之，原来只是炒冷饭，亦无甚意思也。贵处承允出版，久所欣感，唯苦于写不出东西，无可报命，冷饭又岂可多炒，此想均在鉴察中也。×××君言论不甚入时，取憎于青年新人，亦是当然，窃意以为在不投机不唱虚伪高调之点或不无可取，故鄙人觉得不必过于责备，况即×君之低调鄙人也唱不出耶？妄言聊申鄙怀耳，希勿见责。平津不知究竟危险否，此似亦非吾辈臆测所能知，恐只能听训而已，无地可迁，姑且安之。匆匆奉复，顺颂

近安。

作人启，四月七日。

案：澈信向不留稿，箧底忽得此纸，乃系写错重改者，故抄存之。

四　题魏慰农先生家书后

昨日建功过访，以其大父慰农先生家书一卷见示，并属题跋，余不能书而欣然应之。何也？父祖贤慈，人生最大幸福，建功能得之，此大可贺也。为父或祖者尽瘁以教养子孙而不责其返报，但冀其历代益以聪强耳，此自然之道，亦人道之至也。然而在祖宗崇拜之民族间盖戛戛乎其难之矣。

民国二十二年五月三十日，作人识于北平苦茶庵。

五　题永明三年砖拓本

此南朝物也，乃于后门桥畔店头得之，亦奇遇也。南齐有国才廿馀年，遗物故不甚多。余前在越曾手拓妙相寺维卫尊像铭，今复得此砖，皆永明年间物，而字迹亦略相近，至可宝爱。大沼枕山句曰，一种风流吾最爱，南朝人物晚唐诗，此意余甚喜之。古人不可见，尚得见此古物，亦大幸矣。

民国廿二年重五日，知堂题记于北平苦雨斋。

六　废名所藏苦雨斋尺牍跋

废名藏不佞所寄小简积数十通，裱为一巨册，令题记之。册成而废名归黄梅去，遂搁置萧斋中，喜暂得偷懒，待废名来催时再题未晚也。唯题亦无甚话可说，只是有一件事想提出异议，废名题跋中推重太过，窃意过誉亦是失实耳。雨后新凉，偶记此语，乃并不待废名之催而写了矣。

廿二年七月廿五日于北平苦雨斋，知堂。

七　为半农题掼跤图

案角觝盖古已有之，唯掼跤与角觝异同若何，则非余所能言也。半农于荒摊得此卷，命题记之，余但知所画为掼跤图，有十六清朝人正在演技，想见当时有此风俗，如见古代胡服习射景象也。卷用土黄布为之，着笔设色皆极素朴，绝非廊庙间物，半农谓当系打拳卖药者流所张贴者，是或然欤，此则更令余觉得大有意思者也。闻今国术馆中亦有掼跤一科，然则此又未必限于民间矣。

民国廿二年八月四日，知堂题于北平市。

八　书赠陶缉民君

绕门山在东郭门外十里，系石宕旧址，水石奇峭，与吼山仿佛。陶心云先生修治之，称曰东湖，设通艺学堂。民国前八年甲辰秋，余承命教英文，寄居两阅月，得尽览诸胜，曾作小诗数首记之，今稿悉不存，但记数语曰，岩鸽翻晚风，池鱼跃清响，又曰，萧萧数日雨，开落白芙蓉。忽忽三十年，怀念陈迹，有如梦寐，书此数行以赠缉民兄，想当同有今昔之感也。

廿二年十一月十三日，在北平，周作人。

九　罗黑子手札跋

光绪末年余寓居东京汤岛，龚君未生时来过访，辄谈老和尚及罗象陶事。曼殊曾随未生来，枯坐一刻而别。黑子时读书筑地立教大学，及戊申余入学则黑子已转学他校，终未相见。倏忽二十馀年，三君先后化去，今日披览冶公所藏黑子手札，不禁怃然有今昔之感。黑子努力革命，而终乃鸟尽弓藏以死，尤为可悲，宜冶公兼士念之不忘也。

民国廿三年三月十日，作人识于北平。

后记

《夜读抄》一卷，凡本文二十六篇，杂文十一篇，共计三十七篇，其中除三篇外均系去年七月以后一年中的作品。这些文章从表面看来或者与十年前的略有不同，但实在我的态度还与写《自己的园地》时差不多是一样。我仍旧不觉得文字与人心世道有什么相关。“我不信世上有一部经典，可以千百年来当人类的教训的，只有纪载生物的生活现象的 Biologie 才可供我们参考，定人类行为的标准。”这是民国八年我在《每周评论》上说过的话，至今我还是这样的想。

近来常有朋友好意的来责备我消极，我自己不肯承认，总复信说明一番。手头留有两封底本，抄录于后，以作一例：

承赐《清华特刊》，谢谢。关于××一文闻曾付××而未能刊出，顷见《华北文艺周刊》上×君之文，亦云××不用，然则如不佞之做不出文章，亦未始非塞翁之一得也。尊集序文容略缓即写，大抵敝文以不切题为宗旨，意在借机会说点自己的闲话，故当如命不瞎恭维，但亦便不能如命痛骂矣。四月廿三日。（与纸君）

惠函诵悉。尊意甚是，唯不佞亦但赞成而难随从耳。自己觉得文士早已歇业了，现在如要分类，找一个冠冕的名称，仿佛可以称作爱智者，此只是说对于天地万物尚有些兴趣，想要知道他的一点情形而已。目下在想取而不想给。此或者亦正合于圣人的戒之在得的一句话罢。不佞自审日常行动与许多人一样，并不消极，只是相信空言无补，故少说话耳。大约长沮桀溺辈亦是如此，他们仍在耕田，与孔仲尼不同者只是不讲学，其与仲尼之同为儒家盖无疑也，匆匆。六月十日。（与侵君）

这些话其实也就是说了好玩罢了。去年半年里写了八篇固然不算多，今年半年里写了二十六篇总不算很少了。在我职业外的文字还乱写了这好些，岂不就足以证明不消极了么？然而不然。有些人要说的还是说。说我写的还不够多，我可以请求他们原谅，等候我再写下去，但是假如以为文章与人心世道无关，虽写也是消极，虽多也是无益，那么我简直没有办法，只有承认我错，因为是隔教，——这次我写了这些文章想起来其实很不上算，挨咒骂还在其次。我所说的话常常是关于一种书的。据说，看人最好去看他的书房，而把书房给人看的也就多有被看去真相的危险。乱七八糟的举出些书籍，这又多是时贤所不看的，岂不是自具了没落的供状？不过话说了回来，如我来鼓吹休明，大谈其自己所不大了然的圣经贤传，成绩也未必会更好。忠臣面具后边的小丑脸相，何尝不在高明鉴察之中，毕竟一样的暴露出真相，而且似乎更要不好看。孔子有言曰，人焉廋哉，人焉廋哉！我们偶然写文章，虽然一不载道，二不讲统，关于此点却不能不恐慌，只是读者和批评家向来似乎都未能见及，又真是千万侥幸也。

民国廿三年九月十七日，知堂识于北平苦茶庵。

图书在版编目(CIP)数据

夜读抄/周作人著作;锺叔河编订. —长沙:岳麓书社,2019.1
(2022.7 重印)

ISBN 978-7-5538-0885-7

Ⅰ.①夜… Ⅱ.①周…②锺… Ⅲ.①随笔—作品集—中国—现代②杂文—作品集—中国—现代 Ⅳ.①I266.1

中国版本图书馆 CIP 数据核字(2018)第 036021 号

YE DU CHAO

夜读抄

周作人著作　锺叔河编订

特约编辑:鄢　琨

责任编辑:蒋　浩

责任校对:舒　舍

书籍设计:风格八号

岳麓书社出版发行

地址:湖南省长沙市爱民路 47 号

直销电话:0731-88804152　0731-88885616

邮编:410006

版次:2019 年 1 月第 1 版

印次:2022 年 7 月第 3 次印刷

开本:787mm×1092mm　1/32

印张:8.375

字数:136 千字

印数:7 001—9 000

书号:ISBN 978-7-5538-0885-7

定价:25.00 元

承印:长沙鸿发印务实业有限公司

如有印装质量问题,请与本社印务部联系

电话:0731-88884129